Le grand livre
des jeux
drôles et intelligents

Les
animaux
du
monde
en
130 jeux

Le grand livre
des jeux
drôles et intelligents

Les
animaux
du
monde
en
130 jeux

Texte

Marie-Claude Favreau

Graphisme
et
illustrations

Isabelle Charbonneau

Favreau, Marie-Claude

Le grand livre des jeux drôles et intelligents. Les animaux du monde en 130 jeux.

Conception typographique : Jean-Marc Gélineau

Dépôts légaux : 2e trimestre 2000
Bibliothèque nationale du Québec
Bibliothèque nationale du Canada

ISBN : 2-7625-0941-6

Imprimé au Canada

10   9   8   7   6   5   4   3   2

LES ÉDITIONS HÉRITAGE INC.
300, rue Arran, Saint-Lambert (Québec) J4R 1K5
Téléphone : (514) 875-0327
Télécopieur : (450) 672-5448
Courriel : info@editionsheritage.com

Sommaire

Légendes

Jeux de calcul et de logique   √x̄

Jeux de mots   JM

Jeux d'observation   👁

Mots croisés   MC

Quiz, charades et énigmes   ?

Facile   1

Moyen   2

Difficile   3

 # L'animalerie en images

Chez Clémentine Poualdecha, on trouve de tout pour nos amis les animaux ! Remplis la grille avec les noms des objets illustrés. Ils s'écrivent tous de haut en bas ou de gauche à droite.

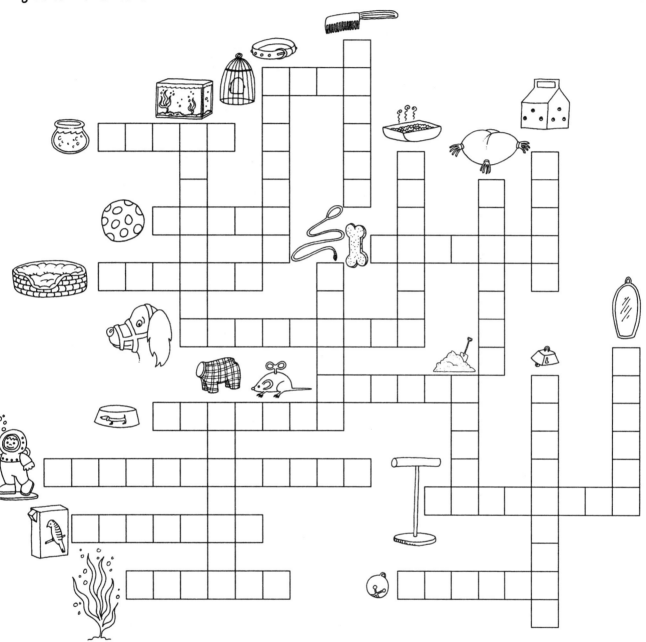

✏️ Une lettre change la bête !

Change une lettre de chacun de ces noms d'animaux pour obtenir 10 autres animaux.

1. mangouste ___ ___ ___ ___ ___ ___ ___ ___ ___

2. bison ___ ___ ___ ___ ___

3. moule ___ ___ ___ ___ ___

4. pic ___ ___ ___

5. vigogne ___ ___ ___ ___ ___ ___ ___

6. cafard ___ ___ ___ ___ ___ ___

7. rate ___ ___ ___ ___

8. pie ___ ___ ___

9. taure ___ ___ ___ ___ ___

10. bique ___ ___ ___ ___ ___

 Les intrus

Dans chacune de ces séries, un intrus s'est glissé. À toi de le découvrir !

1. poil   duvet   plume   bec   écaille

2. crâne   fémur   phalangine   rotule   tendon

3. rainette   salamandre   couleuvre   alligator   tortue

4. pinson   python   paon   paruline   poule

5. lion   kangourou   hyène   rhinocéros   girafe

Jeu de mémoire

Alerte dans le poulailler ! Observe attentivement cette scène pendant une minute sans prendre de notes, puis tourne la page et essaie de répondre aux questions.

👁 Jeu de mémoire (suite)

Dans le poulailler, y a-t-il:

deux renards ?............. ☐		un pneu ?............. ☐
un canard ?............. ☐		une poêle ?............. ☐

trois œufs blancs ?............. ☐

une fourche ?............. ☐

une pelle ?............. ☐

une souris ?............. ☐

trois perchoirs ?............. ☐

un œuf de Pâques ?............. ☐

un pigeon ?............. ☐

une sauterelle ?............. ☐

un sac de graines ?............. ☐

un chapeau de paille ?............. ☐

un seau ?............. ☐

❓ Devinettes en vrac

1. Quel est le pays préféré des chiens ?
   _____

2. Quels oiseaux ne peuvent se gratter que la moitié du dos ?
   _____

3. Quel poisson effraie le plus les souris ?
   _____

4. Quels sont les deux poissons les plus appréciés des menuisiers ?
   _____

5. Si un éléphant pèse deux tonnes de plus que la moitié de son poids, combien pèse-t-il ?
   _____

6. Avec ces cinq lettres, tu peux former le nom d'un animal et aussi le nom de sa maison ! I C E N H
   _____

7. Si un coq pond un œuf tous les deux jours, combien lui faudra-t-il de jours pour en pondre une douzaine ?
   _____

8. Quel genre de cerf n'intéresse pas les chasseurs ?
   _____

9. Comment un éléphant descend-il d'un arbre ?
   _____

 # Les oiseaux cachés

Essaie de trouver dans cette grille huit noms d'oiseaux bien connus. Ils peuvent être écrits à l'horizontale ou à la verticale, de gauche à droite ou inversement.

D	C	H	B	C	V	S	A	O	G
E	L	G	I	A	A	P	U	G	O
T	Q	I	A	E	U	O	T	I	P
O	A	G	C	K	T	F	R	O	I
U	G	P	I	Q	O	S	U	D	G
C	D	E	S	P	U	S	C	F	E
A	S	I	F	S	R	O	H	E	O
N	P	O	U	L	E	D	E	O	N
P	H	I	B	O	U	Q	I	S	Q
F	E	G	S	N	O	D	N	I	D

Le méli-mélo des généreux animaux

Voici tout méli-mélangés six noms de produits que nous ne pourrions avoir sans les animaux. Démêle les mots et, dans les cases grises, tu trouveras ce qui cause la perte de certains grands mammifères.

TIAL   1.

IAENVD   2.

TOUYRA   3.

INELA   4.

IUCR   5.

EFOU   6.

Solution : ___ ___ ___ ___ ___ ___

Ouah! Ouah!

Traverse cette grille en formant le nom de quatre races de chiens. Tu peux te déplacer horizontalement, verticalement ou en diagonale, mais sans jamais lever ton crayon.

entrée →

P	U	O	G	N	E	U	V	A	Q
V	X	A	B	Q	R	L	L	B	C
S	Q	P	E	N	S	S	Y	R	K
D	X	K	X	E	V	D	A	Z	S
Q	A	L	C	I	S	O	I	E	R
D	V	M	X	T	D	R	R	W	Z
Z	W	S	A	Z	C	T	R	Y	X
P	R	D	X	V	C	E	Y	S	K

→ sortie

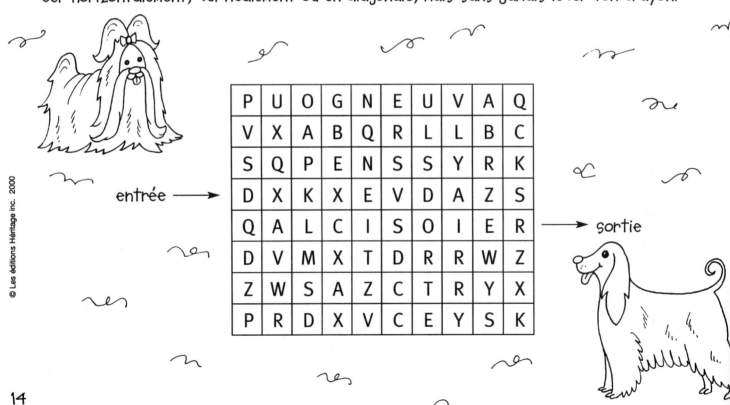

Qu'est-ce qui cloche... au zoo ?

Quelle belle journée pour aller au zoo ! Mais il se passe 11 choses étranges ici ! Les vois-tu ?

La supergrille des bêtes à cornes

Complète la grille avec les mots de la liste. Ce sont tous des noms de bêtes à cornes !

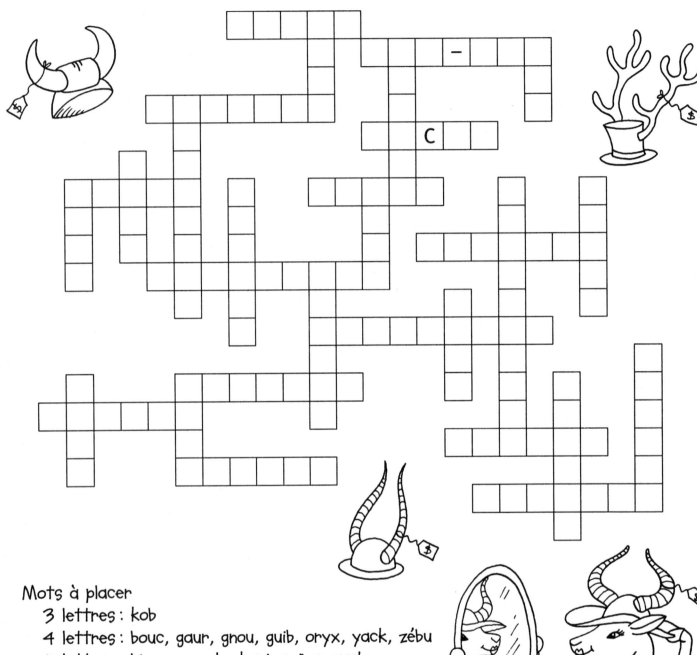

Mots à placer

  3 lettres : kob

  4 lettres : bouc, gaur, gnou, guib, oryx, yack, zébu

  5 lettres : bison, gayal, okapi, saïga, vache

  6 lettres : bélier, bubale, buffle, chèvre, dik-dik,
                 girafe, impala, koudou, mouton

  7 lettres : chamois, gazelle, mouflon, taureau

  8 lettres : antilope

  9 lettres : bouquetin, springbok

10 lettres : damalisque

A... comme au secours!

Dans cette image, trouve vite au moins 10 éléments dont le nom commence par A !

Labyrintermitière

Ah ! ah ! Voici une fourmi égarée dans la termitière. Aide-la à retrouver bien vite le chemin de la sortie avant que les termites ne la réduisent en bouillie !

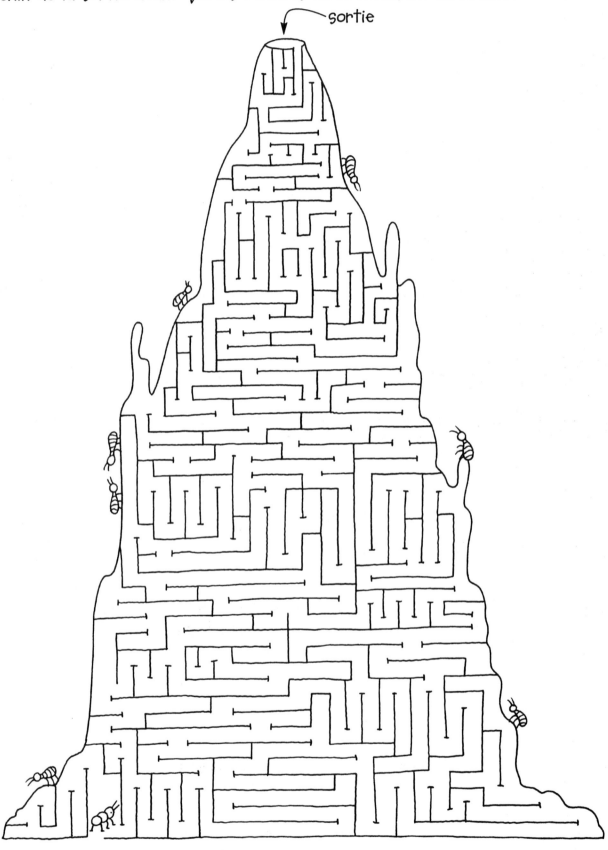

sortie

 *Cache-cache*

Chacune des séries de mots ci-dessous contient le nom d'un animal. Pour le trouver, choisis dans chaque mot deux lettres qui se suivent, puis mets-les bout à bout. Les indices sont là pour t'aider !

Exemple :
POIL
ROSE
PEAU
Solution : oiseau

1. indice : il glougloute
   DIRE
   ONDE
   PONT
   ___ ___ ___ ___ ___ ___

2. indice : il hurle
   CLOS
   PUPE
   ___ ___ ___ ___

3. indice : il cancane
   CAMP
   NAGE
   DARD
   ___ ___ ___ ___ ___ ___

4. indice : c'est un petit cousin
   du cochon
   SANG
   RANG
   LIEN
   CERF
   ___ ___ ___ ___ ___ ___ ___ ___

5. indice : il devient blanc en hiver
   PLIS
   SÈVE
   SIRE
   ___ ___ ___ ___ ___ ___

6. indice : il salit les statues
   dans les villes
   PION
   ANGE
   DONC
   ___ ___ ___ ___ ___ ___

7. indice : elle aime le fromage
   SOIE
   OURS
   PRIS
   ___ ___ ___ ___ ___ ___

8. indice : il est rusé
   MIRE
   NAIN
   TARD
   ___ ___ ___ ___ ___ ___

9. indice : il est tout jaune
   et fait cui-cui
   CALE
   NAIN
   RIEN
   ___ ___ ___ ___ ___ ___

10. indice : c'est un félin
    JASE
    AIGU
    ARME
    ___ ___ ___ ___ ___ ___

Petites bêtes au fond de l'eau

Trois poissons se cachent au fond de l'eau. Remets les lettres de leurs noms dans l'ordre pour savoir qui ils sont.

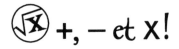 +, − et x!

Place dans le carré ci-dessous les chiffres 2, 3, 4, 5, 6, 7, 8 et 9 de façon que les opérations soient exactes.

20	+		−		= 19
−		+		−	
	−	(	x	)	= 2
+		+		+	
	+		−		= 8
= 21		= 13		= 10	

⊚ Un message en morceaux

Recopie les motifs de la grille du haut dans les bonnes cases de la grille du bas, et tu sauras ce que contient cette boîte.

	1	2	3	4	5
A					
B					
C					
D					

℗ Zoologistes en herbe

Pour chaque énoncé, choisis la réponse qui te paraît la meilleure.

1. Pour attraper les insectes dont il se nourrit, le poisson-archer :
   ❑ crache dessus   ❑ saute hors de l'eau   ❑ bat l'eau avec sa queue

2. Les gorilles, les chimpanzés et les orangs-outans sont les seuls animaux à marcher :
   ❑ sur deux pattes   ❑ sur le côté   ❑ en s'appuyant sur leurs jointures

3. Lequel de ces insectes migre ?
   ❑ la mouche   ❑ la coccinelle   ❑ le papillon monarque

4. Lequel de ces animaux n'hiberne pas ?
   ❑ la couleuvre   ❑ la mouffette   ❑ la chauve-souris

5. Le sac de la pieuvre contient :
   ❑ eau et organes vitaux   ❑ eau et huile   ❑ eau et cartilage

6. Les deux bosses sur la tête de la girafe sont faites :
   ❑ de corne   ❑ de cartilage   ❑ de peau

7. Lequel de ces poissons a un squelette fait d'os et non de cartilage ?
   ❑ la raie manta   ❑ l'hippocampe   ❑ le requin

8. Lequel de ces animaux n'est pas un reptile ?
   ❑ le lézard à collerette   ❑ le crocodile du Nil   ❑ la salamandre

9. Lequel de ces animaux n'est pas carnivore ?
   ❑ le koala   ❑ le phoque   ❑ le grizzli

10. Les libellules vivant au temps des dinosaures pouvaient avoir la taille :
    ❑ d'un aigle royal   ❑ d'un goéland   ❑ d'un moineau

⊙ Qui se cache ici ?

Ces drôles de lettres cachent un animal. Trouveras-tu le moyen de les lire ?

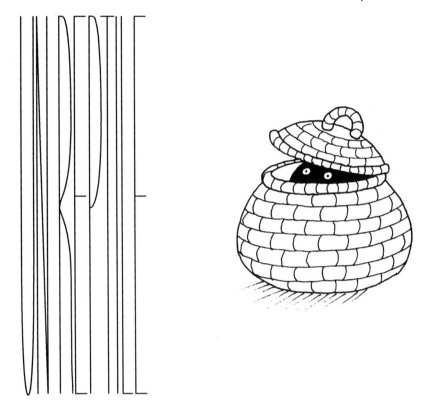

√x̄ Coquilles à la course

Chacun de ces escargots porte un numéro qui correspond à la somme des deux nombres sur lesquels il repose. Essaie de compléter cette pyramide d'escargots avant que la course ne commence !

Ouah! Miaou! Hou! Croâ!... Coâ?

Relie chaque animal à sa bulle !

Jappe ! Brame ! Coasse ! Hulule ! Croasse ! Hurle !

Miaule ! Hennit ! Meugle ! Blatère ! Coquerique !

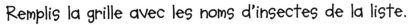

La supergrille des petites bêtes à six pattes

Remplis la grille avec les noms d'insectes de la liste.

Mots à placer

  3 lettres : pou

  4 lettres : puce, taon

  5 lettres : guêpe, mante

  6 lettres : blatte, cigale, fourmi, mouche

  7 lettres : abeille, bourdon, criquet, grillon, luciole, puceron, punaise

  8 lettres : éphémère, hanneton, papillon, scarabée

  9 lettres : doryphore, libellule, moucheron, moustique

10 lettres : chrysomèle, coccinelle, sauterelle

12 lettres : perce-oreille

Détails à trouver

Oh, la jolie toile ! Et efficace, en plus ! Essaie de retrouver dans l'image quatre des cinq détails du bas. En effet, l'un d'eux ne fait pas partie de l'image !

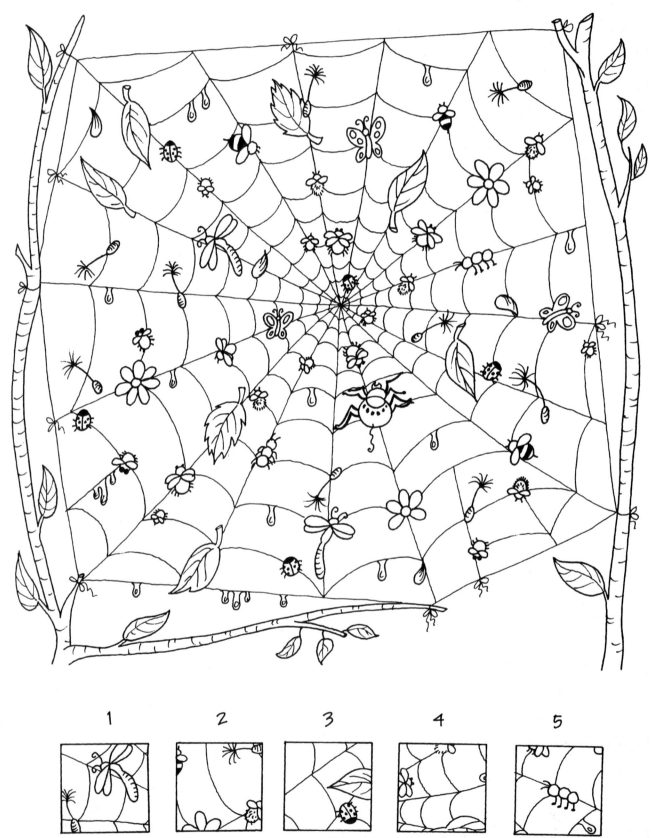

1   2   3   4   5

Minirébus

Associe chaque image de gauche à une image de droite de façon à former sept noms d'animaux.

Exemple : + = poisson-perroquet

27

Chats, chats, chats

Un des chats de l'illustration du haut ne se retrouve pas dans celle du bas. Le vois-tu ?

Le mot mystère d'Azor le basset

Trouve dans cette grille les mets préférés d'Azor. Ils peuvent être écrits à l'horizontale, à la verticale ou en diagonale, et une lettre peut servir plus d'une fois. Pour être certain de réussir, garde les petits mots pour la fin ! Avec les lettres qui restent, tu sauras ce qu'il faut à Azor après un bon repas.

S	T	E	A	K	E	N	G	I	E	B	F
O	A	T	A	P	I	O	C	A	E	Y	R
R	B	U	G	R	U	A	U	U	T	A	O
B	R	N	C	B	A	C	O	N	R	O	M
E	O	P	O	I	S	S	O	N	A	U	A
T	C	B	B	I	S	C	U	I	T	R	G
E	O	P	A	I	N	S	L	A	I	T	E
L	L	S	P	A	G	H	E	T	T	I	S
U	I	O	L	D	L	A	S	A	G	N	E
O	C	H	O	C	O	L	A	T	E	A	U
P	C	R	E	M	E	G	L	A	C	E	E

Mots à trouver :
bacon, beigne, biscuit, brocoli, chocolat, crème glacée, fromage, gruau, lait, lasagne, pain, poisson, poulet, saucisse, sorbet, spaghettis, steak, tapioca, tarte, yaourt.

Ce qu'il faut à Azor : ___ ___   ___ ___ ___   ___ '___ ___ ___

✕ Une histoire sens dessus dessous

Remets dans l'ordre les six images suivantes pour que l'histoire ait enfin un sens.

a

b

c

d

e

f

Jeu de mots rapido !

Réponds vite aux questions, et le nom d'un animal très rapide apparaîtra dans les cases grises.

1. Il marche sur son estomac.

2. Oiseau de proie parfois dressé pour la chasse.

3. Il porte ses cornes sur le nez !

4. Attention à son dard !

5. Rapace... royal.

6. Elle est lente, mais elle bat le lièvre à la course !

7. Poisson à la mâchoire en forme d'épée.

L'animal très rapide : _____

Quelle ficelle le ouistiti Toto devra-t-il tirer pour avoir son dîner? Attention! une des ficelles pourrait lui être fatale!

© Les éditions Héritage inc. 2000

F... comme fourmis légionnaires !

Les fourmis marchent sept par sept... et ne laissent que des miettes ! Trouve vite 8 éléments dont le nom commence par F avant de te faire dévorer par ces voraces insectes !

Hum! Le vétérinaire n'est pas près de voir le perroquet de Caroline! Tu as donc tout le temps voulu pour trouver les 10 éléments insolites qui se cachent dans cette salle d'attente.

❓ Les copains d'abord

Chaque animal de gauche vit en association avec un animal de droite. Réussiras-tu à les réunir par paires ? Pour rendre la tâche plus difficile, deux de ces animaux ne peuvent être associés l'un à l'autre. Ah ! ah !

rémora

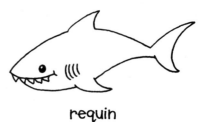

requin

poisson-clown

puceron

fourmi

rhinocéros

pique-bœuf

crocodile

homard

anémone de mer

pluvian

tortue

L'ombre aux dents d'acier

À quel requin appartient cette ombre menaçante ?

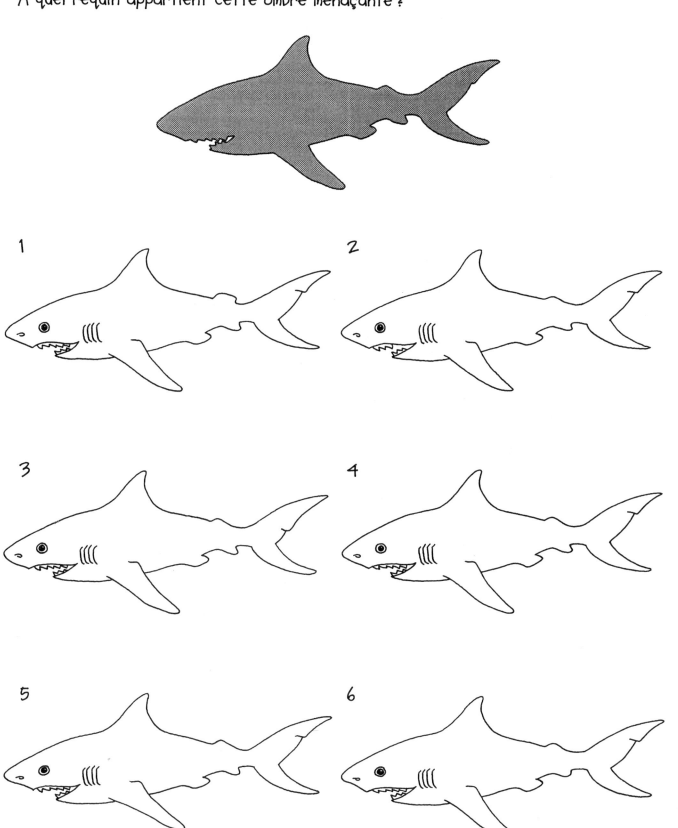

1

2

3

4

5

6

Remplis la grille avec les mots de la liste au bas. Qu'ils soient reptiles ou poissons, ce sont tous des animaux plus longs que larges.

Mots à placer

3 lettres : boa

5 lettres : aspic, larve, ténia

6 lettres : lézard, murène, vipère

7 lettres : asticot, crotale, lombric, serpent

8 lettres : anaconda, anguille, chenille, ver à soie

9 lettres : arénicole, couleuvre

10 lettres : salamandre, vermisseau

Animalerie en folie

Trouve dans cette drôle d'animalerie : un collier de chien à clous, six biscuits en forme d'os, trois souris mécaniques, quatre poissons hors de l'eau.

Le corbeau et le renard

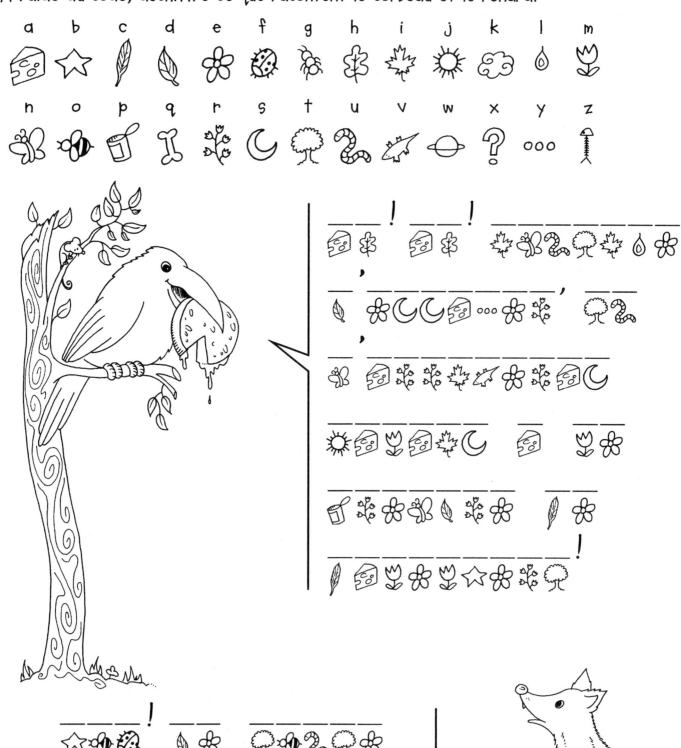

À l'aide du code, déchiffre ce que racontent le corbeau et le renard.

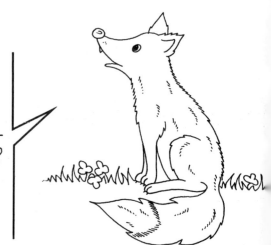

② Vrai ou faux ?

Réponds aux questions suivantes en choisissant les lettres de la colonne vrai ou celles de la colonne faux. Ensuite, reporte les lettres choisies sur les tirets au bas. Si tes réponses sont correctes, tu auras formé le nom d'un ordre regroupant de nombreux insectes.

		vrai	faux
1.	La baleine bleue est le plus gros des poissons.	é	c
2.	De petites algues poussent sur le pelage du paresseux.	o	é
3.	Le cabiai est le plus gros des rongeurs.	l	m
4.	Le plus petit serpent est gros comme un ver de terre.	é	t
5.	Le jeune coucou naît toujours dans le nid d'une autre espèce d'oiseau.	o	i
6.	Certaines fourmis cultivent des champignons.	p	r
7.	Un serpent peut avaler un œuf tout rond.	t	a
8.	La toile de la mygale fait 2 m de diamètre.	a	è
9.	La cigale est l'insecte le plus bruyant du monde.	r	n
10.	Les crocodiles doivent manger énormément pour survivre.	i	e

___ ___ ___ ___ ___ ___ ___ ___ ___ ___
  1   2   3   4   5   6   7   8   9   10

La petite lettre qui change tout

Change une seule lettre de chacun de ces mots pour former d'autres mots.

1. gazelle _____

2. baleine _____

3. mésange _____

4. renard _____

5. loutre _____

6. chat _____

7. merle _____

8. anguille _____

9. vache _____

10. tapir _____

Les intrus

Dans chacune de ces séries s'est glissé un intrus. Essaie de le découvrir !

1. panda   koala   antilope   cheval   chacal

2. bourdon   scorpion   taon   grillon   ténébrion

3. cygne   béluga   harfang des neiges   mouflon   bison

4. léopard   guépard   lion   panthère   ocelot

5. émeu   autruche   manchot   kiwi   bernache

6. zèbre   tigre   guêpe   bourdon   grizzli

7. caribou   orignal   cerf   daim   mouflon

8. dalmatien   zèbre   ara   panda   manchot

9. fennec   dromadaire   paresseux
   serpent à sonnette   scorpion

10. toucan   tangara   troglodyte
    tourterelle   tarentule

Coucou! Grrrrrrr! Rrou-rrou!

Relie chaque animal à sa bulle.

Grommelle !   Glousse !   Trompette !   Coucoule !

Grogne !   Feule !   Roucoule !   Brait !

Stridule !   Glapit !   Siffle !

La supergrille des animaux en C

Complète la grille avec chacun des mots en C de la liste ci-dessous.

Mots à placer

  3 lettres : coq

  4 lettres : cerf, chat

  5 lettres : chien, cobra

  6 lettres : castor, cétacé, cheval, chèvre, chouca, cigale, cobaye, coucou

  7 lettres : caracal, civette, colombe, crapaud, criquet

  8 lettres : cachalot, caméléon, chenille, chouette, crevette, crustacé

  9 lettres : campagnol, crocodile

10 lettres : chinchilla

13 lettres : cercopithèque

◉ Le dé des d

Voici un dé vu sous quatre angles différents. Observe-le bien, puis complète les 3 dés du bas.

√x̄ Le poisson perdu

Pour retrouver le poisson perdu, choisis parmi les poissons numérotés celui qui complète le mieux la suite ci-dessous.

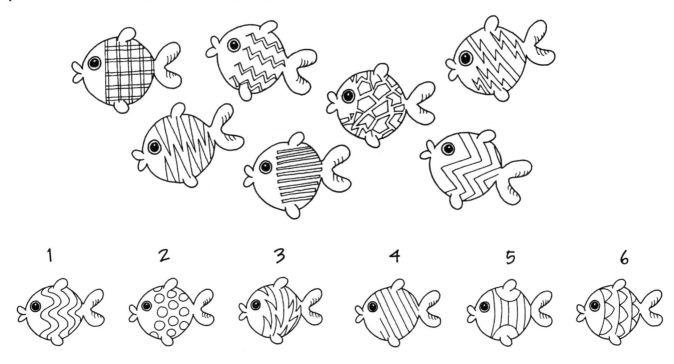

| 1 | 2 | 3 | 4 | 5 | 6 |

√x̄ La carapace triangulaire

Drôle de carapace pour une tortue ! Peux-tu compter le nombre de triangles qui s'y trouvent ?

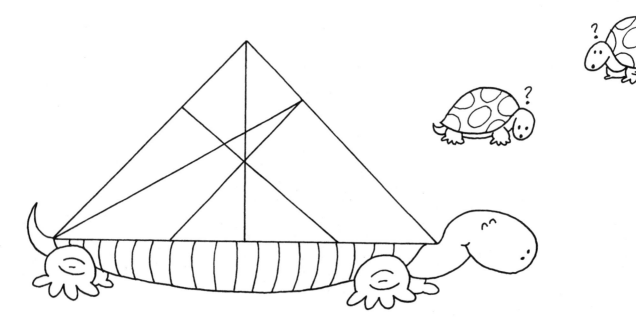

Essaie de trouver les 10 éléments qui différencient les deux illustrations d'Isabelle !

Mot mystère : les maisons d'animaux

Trouve dans la grille tous les mots de la liste. Avec les lettres qui restent, tu découvriras le mot mystère.

G	B	A	E	G	N	A	R	G	P	L
E	R	E	T	N	G	I	N	U	O	T
F	O	U	R	M	I	L	I	E	R	E
E	A	U	O	G	T	D	C	P	C	R
H	B	A	U	G	E	E	H	I	H	M
C	T	O	I	L	E	R	E	E	E	I
U	E	I	R	U	C	E	I	R	R	T
R	E	R	E	I	N	A	T	E	I	I
T	A	U	P	I	N	I	E	R	E	E
S	P	O	U	L	A	I	L	L	E	R
R	E	N	A	R	D	I	E	R	E	E

Mots à trouver :

bauge, bergerie, eau, écurie, fourmilière, gîte, grange, guêpier, niche, nid, porcherie, poulailler, renardière, ruche, tanière, taupinière, termitière, toile, trou.

Mot mystère : ___ ___ ___ ___ ___ ___ ___ ___ ___ ___ ___ ___ ___ ___

Quel cirque!

Parmi ces 10 poissons-clowns, trouve les deux qui sont tout à fait identiques.

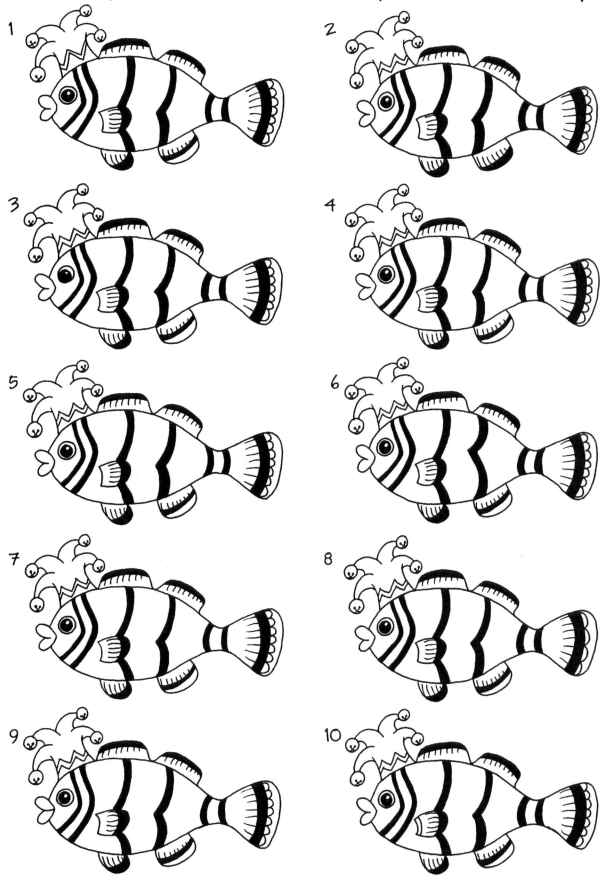

◉ B... comme baleine

Elle en a avalé des choses, cette baleine ! Trouve tous les éléments dont le nom commence par B. Il y en a au moins 15.

ⓉⓂ Lent, lent, l'escargot

À partir du mot escargot, essaie de faire le plus de mots possible de quatre lettres et plus. Prends tout ton temps, tu n'es pas pressé! (Le nombre de lignes ne correspond pas nécessairement au nombre de mots qu'il est possible de faire.)

E S C A R G O T

4 lettres	4 lettres	5 lettres	5 lettres	6 lettres
_____	_____	_____	_____	_____
_____	_____	_____	_____	_____
_____	_____	_____	_____	_____
_____	_____	_____	_____	
_____	_____	_____	_____	
_____	_____	_____	_____	

ⓉⓂ Animots camouflés

Dans chacune de ces phrases se cache au moins un animal. Découvre-le à l'aide des indices.

Exemple : En mangeant son **épi, C**éline s'est cassé une dent. (pic)

1. Il va chez Octave au petit matin. (deux ruminants)

2. Après s'être sali, on se lave. (un félin)

3. Si la mouffette vous arrose, rincez-vous au jus de tomate. (un oiseau)

4. Voyant Jean lancer, Françoise se pousse sur le côté. (un animal des bois)

5. Pierrot a fait ce qu'il a pu, mais il a raté le but. (un félin et un oiseau)

6. Jean cacha l'otarie de peluche dans son placard. (un cétacé)

7. La bêche valait au moins 10 $. (un quadrupède)

8. Ce n'est pas en poussant un cri que tu attireras mon attention! (un insecte)

9. Le pêcheur poussa le sampan dans l'eau. (un genre d'ours)

10. Voici un père qui ne sait pas lire. (un poisson)

ⓜ Singeries

À l'aide du code, déchiffre ce que raconte le singe dans sa cage.

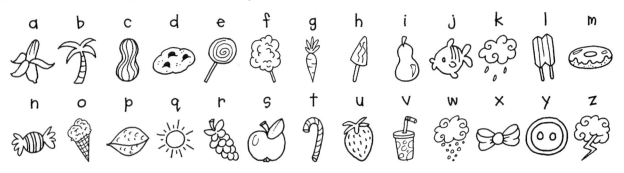

Les crustacés cachés

Trouve dans cette grille cinq noms de crustacés écrits de gauche à droite ou de haut en bas. Une lettre peut servir plus d'une fois.

M	O	U	C	H	E	E	S	G
A	R	A	R	A	T	C	C	O
B	E	P	A	E	E	R	R	R
E	H	I	B	M	T	E	E	I
I	O	E	E	E	E	V	V	L
L	M	L	O	U	P	I	E	L
L	A	N	G	O	U	S	T	E
E	R	C	H	A	T	S	T	P
S	D	G	U	E	P	E	E	I

Aide la grenouille et le serpent à traverser le labyrinthe sans que leurs chemins ne se croisent. Un face à face pourrait être fatal !

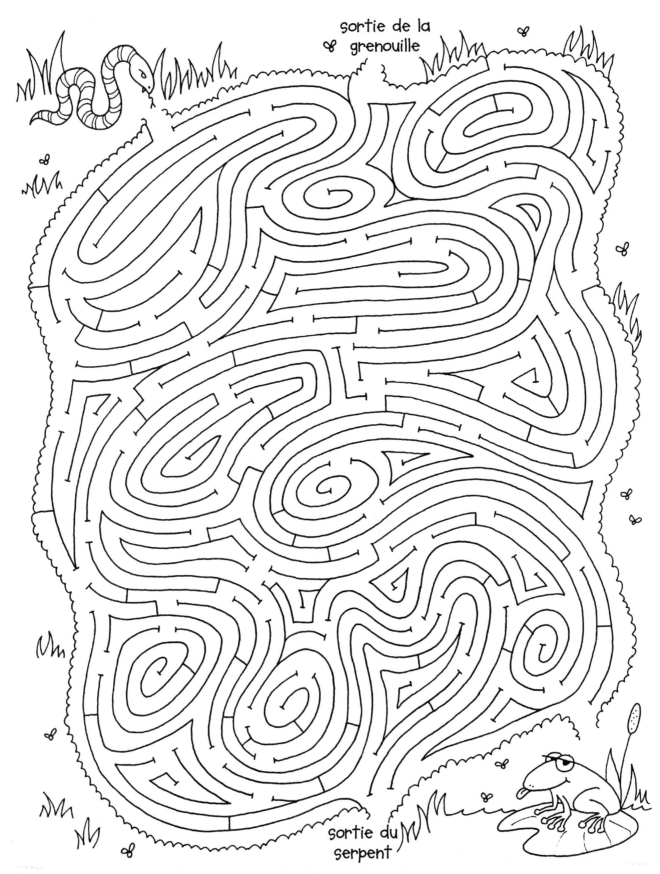

sortie de la grenouille

sortie du serpent

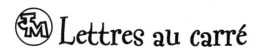 Lettres au carré

Avec les lettres de ce carré, tu dois former des mots d'au moins quatre lettres. Pour chaque nouveau mot, tu ne peux utiliser chaque lettre qu'une seule fois et les lettres doivent se toucher. Ainsi, tu peux faire pôle, mais pas paru ni dodo. (Le nombre de lignes ne correspond pas nécessairement au nombre de mots qu'il est possible de faire.)

I	L	E
D	O	P
R	A	U

4 lettres	5 lettres	6 lettres	7 lettres
_____	_____	_____	_____
_____	_____	_____	_____
_____	_____	_____	
_____			
_____			
_____			
_____			

√x̄ Soustraction de reptiles

Chaque animal représente un chiffre de O à 5. Es-tu capable de déterminer la valeur de tous les animaux ?

= O
= 1
= 2
= 3
= 4
= 5

✍ Le méli-mélo des merveilleuses bestioles

Grâce aux indices, démêle les mots suivants, et le nom de minuscules bestioles qui vivent par milliers dans ta maison apparaîtra dans les cases grises. Attention! tous les mots sont au pluriel!

1. RAAEEIGNS   Elles ont huit pattes.
2. UESCP   Elles aiment les chats et les chiens.
3. TTESLBA   Le vrai nom des « coquerelles ».
4. SIMFRUO   Elles font des fourmilières.
5. TSIME   Elles mangent la laine.
6. TSIETMER   Ils attaquent le bois.
7. PPLLNSAIO   On les attrape au filet.
8. EECRP-IEEORLLS   Malgré leurs pinces, ils sont inoffensifs.

1.
2.
3.
4.
5.
6.
7.
8.

Solution :

_____ _____ _____ _____ _____ _____ _____

Un message en morceaux

Avant de te jeter à l'eau, recopie les motifs de la grille du haut dans les bonnes cases de la grille du bas et tu sauras ce qui est écrit sur ce panneau.

La grille des célébrités

C'est bien connu : les animaux sont souvent les héros de contes, de fables et de bandes dessinées. Que tu sois ou non un grand lecteur, essaie de remplir la grille à l'aide des indices.

Horizontalement

1. Avant de rencontrer la sorcière, c'était un prince.
2. Le chien d'Obélix.
3. Il tient un fromage dans son bec.
4. Le gibier préféré d'Astérix et Obélix.
5. Celui de Charles Perrault est botté.
6. Le cheval de Lucky Luke.
7. Moby Dick est un ___.
8. Il a sauvé du déluge toutes les espèces d'animaux.
9. Animal jaune tacheté de noir, muni d'une longue, longue queue.
10. Elle a avalé Pinocchio.
11. Il est rusé.

Verticalement

a. Jolly Jumper en est un.
b. Le fidèle compagnon de Tintin.
c. Contre le lièvre, elle gagne la course.
d. Il est battu à la course par la tortue.
e. Elle refuse de prêter à la cigale.
f. Il mange les petits enfants qui se promènent seuls dans les bois sombres.
g. La célèbre souris de Walt Disney.
h. Dans le conte bien connu, ils sont trois, ce sont des petits... et ils se prennent pour des ouvriers du bâtiment.
i. Il veut manger Mowgli.
j. Le chien le plus bête à l'ouest du Mississippi.
k. Dans la fable, elle a chanté tout l'été.
l. Milou en est un.

Mot mystère : les joyeux volatiles

Trouve dans cette grille les noms d'oiseaux de la liste. Ils peuvent être écrits aussi bien à l'horizontale qu'à la verticale, ou en diagonale. Avec les lettres qui restent, tu pourras former le mot mystère.

U	I	U	O	I	P	D	T	H
O	P	I	A	U	R	L	E	I
C	E	E	B	A	U	C	T	R
I	G	U	N	B	O	I	R	O
L	R	A	L	L	T	B	A	N
U	C	U	I	L	U	I	S	D
O	B	B	E	C	A	S	S	E
C	R	P	I	C	V	U	M	L
I	E	T	T	E	U	O	M	L
E	S	A	R	C	E	L	L	E

Mots à trouver :

bécasse, bulbul, canard, colibri, coulicou, geai, hirondelle, ibis, mouette, oie, pic, pioui, sarcelle, tétras, urubu, vautour.

Mot mystère : _____ ___ ___ ___ _____

Ces petits coquins se sont amusés à se déguiser et ils croient que tu ne les reconnaîtras pas. Prouve-leur le contraire en redonnant à chacun ce qui lui appartient.

② Vrai... ou faux ?

Réponds à chaque question en choisissant la lettre de la colonne vrai ou celle de la colonne faux, puis reporte cette lettre sur le tiret correspondant, au bas. Si à la fin tu obtiens le nom d'un mammifère, c'est que toutes tes réponses sont exactes !

	vrai	faux
1. L'éléphant est le plus gros mammifère terrestre.	H	P
2. Le panda est un ours.	U	Y
3. Le cochon est un excellent nageur.	È	A
4. L'araignée n'est pas un insecte.	N	F
5. Toutes les araignées tissent des toiles.	U	E

___ ___ ___ ___ ___
 1   2   3   4   5

ⓂPetites bêtes cachées

Dans chacune des phrases ci-dessous se cache un animal. Essaie de le découvrir.

Exemple : Quand il s'en **ira,** Théo devra mettre un chapeau. (rat)

1. En voyant l'escroc, Odile courut vite appeler la police.

2. En passant par Lima, cette pauvre fille croyait découvrir le Pérou !

3. Quand on pige, on doit faire confiance au hasard.

4. Lucien, pour l'écouter, mit environ une minute.

5. Pour Noël, Étienne a acheté un sapin, son arbre préféré.

© Les éditions Héritage inc. 2000

Qu'est-ce qui cloche... à la pêche?

Par un beau matin ensoleillé, les pêcheurs se sont donné rendez-vous à la rivière. Mais 8 anomalies se sont glissées dans l'image. Les vois-tu?

 Cache-cache

Chacune des séries de mots ci-dessous contient le nom d'un insecte. Pour le trouver, choisis dans chaque mot deux lettres qui se suivent, puis mets-les bout à bout.

Exemple :
PAIR
PIPE
ALLÔ
PONT
solution : papillon

1. FOND
   DURE
   AMIE

   ___ ___ ___ ___ ___ ___

2. SCIE
   GAIE
   RÔLE

   ___ ___ ___ ___ ___ ___

3. TAIE
   PONT

   ___ ___ ___ ___

4. AMAS
   RIRE
   ANGE
   LOUP
   MAIN

   ___ ___ ___ ___ ___ ___ ___ ___

5. BLEU
   PLAT
   TENU

   ___ ___ ___ ___ ___ ___

6. MONT
   STUC
   CHER

   ___ ___ ___ ___ ___ ___

7. PUIS
   RACE

   ___ ___ ___ ___

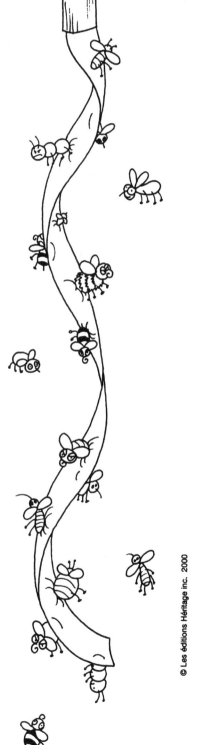

Cristabel et Anabel sont jumelles, mais chez elles tout n'est pas toujours pareil.
Vois-tu les 10 éléments qui sont différents?

ᴍᴛᴍ Petites bêtes au jardin

Il y a quatre insectes cachés dans ces fleurs. Peux-tu les trouver en remettant toutes les lettres de leurs noms dans le bon ordre ?

√x̄ Suite logique

Choisis parmi les cinq toiles numérotées celle qui complète la suite ci-dessous.

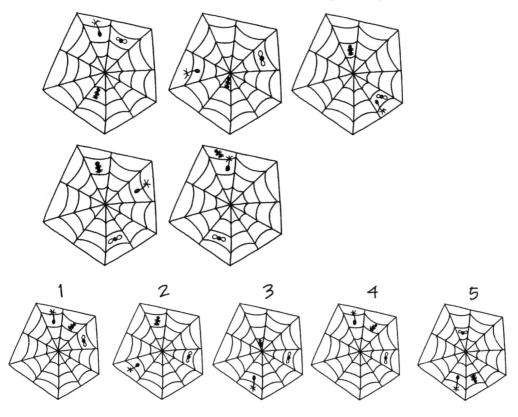

À l'aide du code, essaie de déchiffrer ce que disent ces deux bestioles.

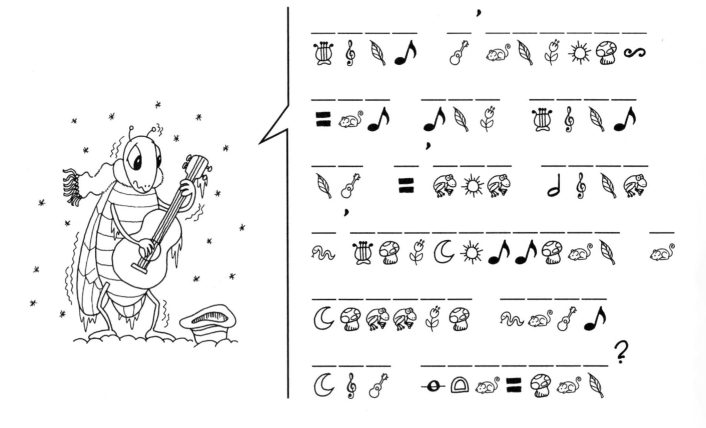

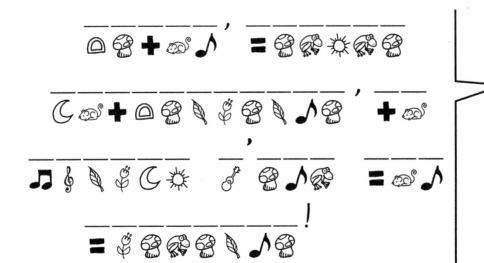

64

Arachnophobie

Madame Folavoine a une peur bleue des araignées. Pas de chance, il y en a pas moins de 15 cachées dans sa cuisine ! Les vois-tu ?

⎷x̄ À la queue leu leu

Parmi les girafes au bas, choisis celle qui complète le mieux la suite ci-dessous.

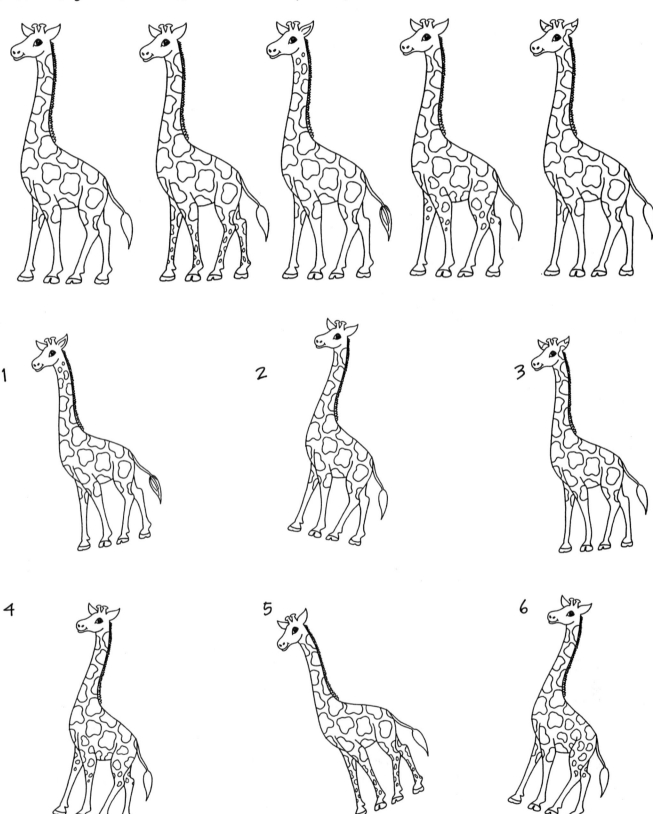

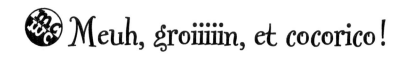 # Meuh, groiiiiin, et cocorico !

Six animaux de la ferme se cachent dans cette grille. Les trouveras-tu tous ? Ils sont écrits à l'horizontale ou à la verticale, de haut en bas ou de bas en haut, de gauche à droite ou de droite à gauche. Chaque lettre ne peut servir qu'une fois.

I	B	F	D	I	O	F	C
E	R	V	E	H	C	G	H
C	H	E	V	A	L	N	I
D	T	O	P	I	N	O	E
S	P	F	S	M	F	T	N
I	O	M	I	U	D	U	U
T	E	H	C	A	V	O	H
C	O	Q	P	O	D	M	N

√x̄ Addition d'insectes

Chaque insecte représente un chiffre de 0 à 5. Essaie de déterminer la valeur de toutes les bestioles.

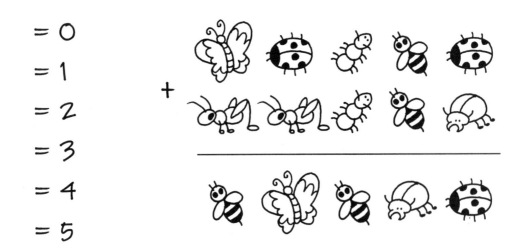

ℐ̃ℳ Le grand quiz des mots en PAN

À l'aide des définitions, remplis les cases avec des mots qui commencent tous par PAN. Si tu as tout bon, les lettres dans les cases grises formeront un autre mot commençant par PAN.

1. Genre de marionnette.

2. Une des parties de l'estomac des ruminants.

3. Mammifère noir et blanc, voisin de l'ours.

4. Pièce de vêtement.

5. Bouquet de plumes ornant un casque.

6. Arrêt de fonctionnement.

7. Il sert à transporter des choses.

8. Peur violente et subite.

Solution : _____ _____ _____ _____ _____ _____

 « Dalmachiens »

Parmi ces 12 dalmatiens, trouve les deux qui sont tout à fait identiques.

Trouve dans cette magnifique prairie au moins 12 éléments dont le nom commence par M.

La supergrille des grandes dents

Il n'y a pas que les rats des villes et les rats des champs qui rongent. Remplis la grille avec les 18 noms de rongeurs ci-dessous.

Mots à placer

3 lettres : rat

4 lettres : rate

5 lettres : mulot, tamia

6 lettres : cabiai, castor, cobaye, souris

7 lettres : hamster

8 lettres : écureuil, marmotte, ragondin, surmulot

9 lettres : campagnol, muscardin, porc-épic

10 lettres : polatouche

11 lettres : spermophile

◉ Qu'est-ce qui cloche... au cirque?

Le cirque, c'est fantastique, mais les spectateurs semblent trouver celui-ci extrêmement farfelu. Vois-tu comme eux les 11 anomalies?

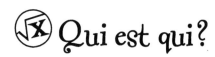
À l'aide des indices, devine qui est qui parmi tous ces dresseurs.

Les noms des dresseurs : Pietro, Piotr, John, Abdul, Lucie, Bruno, Simone, Ingrid et Thai.

1 _____

2 _____

3 _____

4 _____

5 _____

6 _____

7 _____

8 _____

9 _____

Indices :

Ingrid n'est pas sous Simone.

Thai est sous Bruno.

John a deux chiens.

Pietro a plus d'un chien et est au-dessus de Lucie.

Lucie a un chien mais pas de chapeau.

Bruno est entre Simone et Lucie.

Abdul est au-dessus de Simone.

? Dessins mystère

D'après toi, que représente chacune de ces deux images ?

1.

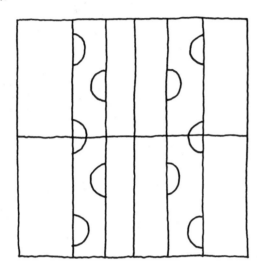

2.

√x̄ Ça balance !

En observant bien les trois premières balances, tu devrais pouvoir déterminer combien il faudra de bassets dans le dernier plateau pour que la balance soit équilibrée.

👁 CH... comme chut!

Dans la chambre, tout le monde dort. Sans faire de bruit, trouve au moins 15 éléments dont le nom commence par CH.

👁 Dessin en morceaux

Retrace les motifs de la grille du haut dans les bonnes cases de la grille du bas pour reconstituer le merveilleux dessin d'Isabelle !

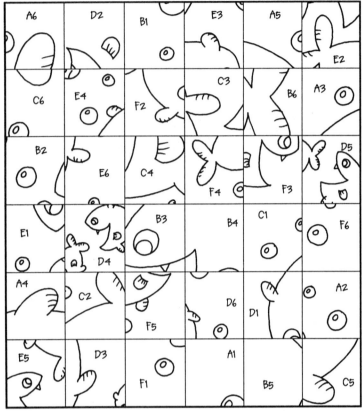

À la chasse aux papillons

Ces deux scènes comportent 10 éléments qui les différencient. Essaie de les trouver tous !

◉ Tous pour un, un pour tous!

Un seul de ces insectes comporte un attribut de chacun des sept autres. Lequel est-ce?

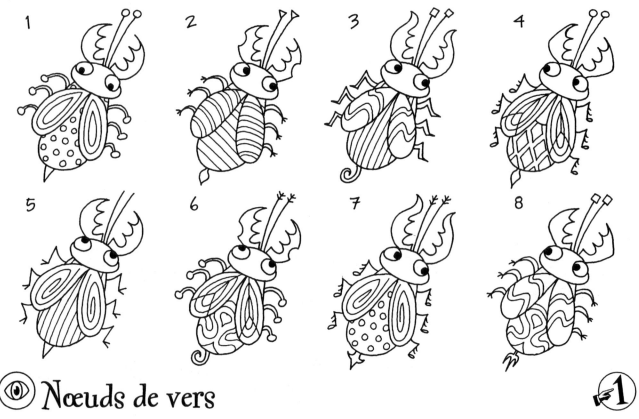

◉ Nœuds de vers

◉1

Deux de ces vers vont faire un nœud si tu les tires par les deux bouts! Lesquels?

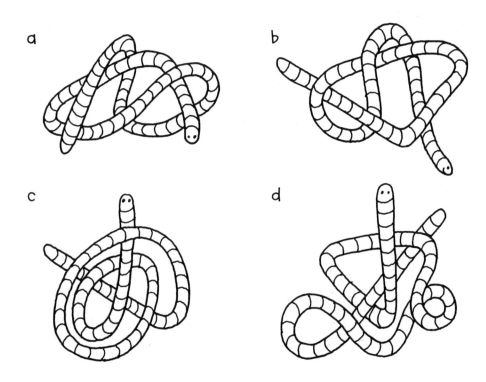

Détails

Que d'action dans cette fourmilière ! Cinq des six détails au bas appartiennent à l'image. Essaie de les repérer !

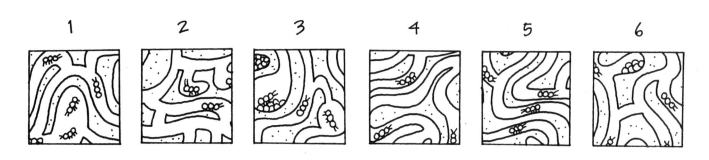

1 2 3 4 5 6

À la rescousse!

Pauvres petits cobayes emprisonnés ! Trouve vite dans le fouillis de ce laboratoire les cinq clés spéciales qui s'adapteront aux serrures des cages. Attention, plusieurs clés ne servent qu'à ouvrir des classeurs ou des tiroirs.

La supergrille des animaux qui font peur

Petites ou grosses, certaines bêtes font plus peur que d'autres. Et toi, celles de la liste t'effraient-elles ? Remplis tout de même la grille avec leurs noms !

Mots à placer

- 3 lettres : boa
- 4 lettres : loup, raie
- 5 lettres : cobra, guêpe, orque, tigre
- 6 lettres : caïman, gavial, méduse, mygale, python, requin, vipère
- 7 lettres : crotale, gorille, grizzli, pieuvre, piranha, sangsue
- 8 lettres : scorpion
- 9 lettres : alligator, crocodile, tarentule
- 10 lettres : rhinocéros
- 12 lettres : chauve-souris

√x̄ Séries de souris

Sauras-tu dessiner dans cette cage 10 souris supplémentaires de façon qu'aucune rangée (même les diagonales) ne comporte plus de deux souris ?

👁 Les jumeaux

Parmi tous ces scarabées, trouve les deux qui sont absolument identiques.

1

2

3

4

5

6

7

8
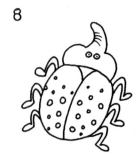

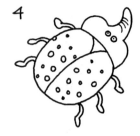

 Le reflet

Comme c'est bizarre, 10 éléments du reflet ne correspondent pas à la réalité ! Les vois-tu ?

👁 Os à déterrer

Trouve dans ce jardin les 15 os cachés par Fido.

◉ D'un tronc à l'autre

Pour capturer l'insecte sur la souche, le petit oiseau doit sauter d'un tronc à l'autre... mais pas dans n'importe quel ordre ! Choisis un élément du tronc 1, puis retrouve cet élément sur un autre tronc et ainsi de suite jusqu'à la souche !

Mines de rien

Écris dans chaque bulle le numéro de la phrase qui correspond le mieux à l'attitude de chaque animal.

1. D'accord, c'est toi le plus fort !
2. Prépare le jus de tomates !
3. Attention ! je sais me défendre !
4. Que la lune est belle, ce soir !
5. Je suis gros, hein ?
6. Si je te mords, tu seras paralysé !
7. C'est moi le plus beau !
8. Gare à ton nez !

√x̄ Lignes à loger

Ajoute quatre lignes droites pour obtenir un mammifère des Andes.

? Vrai ou faux ?

1. Le sexe des bébés crocodiles est déterminé par la chaleur du nid au début de l'incubation.
   ❏ vrai ❏ faux

2. Le porc-épic projette ses piquants pour se défendre.
   ❏ vrai ❏ faux

3. À la naissance, les chiots ont déjà leurs dents.
   ❏ vrai ❏ faux

4. Les épines du bébé hérisson poussent avant ses poils.
   ❏ vrai ❏ faux

5. La maman crocodile s'occupe de ses petits après la naissance.
   ❏ vrai ❏ faux

6. Le requin peut sentir sa proie à plus d'un kilomètre.
   ❏ vrai ❏ faux

7. L'hippocampe se sert de sa queue pour s'agripper aux objets.
   ❏ vrai ❏ faux

8. Le plus grand des insectes est plus long que ton avant-bras.
   ❏ vrai ❏ faux

Le mot mystère de Minet

Trouve dans la grille tous les mots que le malicieux Minet y a dissimulés. Ils peuvent être écrits à l'horizontale, à la verticale ou en diagonale, et une lettre peut servir plus d'une fois. Un conseil : garde les petits mots pour la fin ! Avec les lettres qui restent, tu pourras former le mot préféré de Minet.

C	A	R	N	I	V	O	R	E	T	S	I	N
L	S	C	O	U	S	S	I	N	E	T	E	O
Y	I	C	R	O	C	P	E	R	S	A	N	R
N	A	M	R	I	B	M	T	I	G	R	E	N
X	M	R	A	T	E	A	L	A	I	T	R	O
U	O	S	M	L	I	T	I	E	R	E	B	R
O	I	T	U	I	S	O	R	C	I	E	R	E
N	S	A	P	O	E	U	M	E	H	C	A	T
I	I	B	O	N	D	R	A	Y	U	R	E	A
M	G	O	U	T	T	I	E	R	E	E	C	H
E	T	T	A	H	C	H	A	S	S	E	U	C
G	U	E	P	A	R	D	E	L	I	O	P	Q

Mots à trouver : arbre, birman, bond, carnivore, chasse, chat, chatte, coussinet, croc, gouttière, guépard, lait, lion, litière, lynx, matou, miaulement, minou, mue, persan, poil, puce, puma, queue, rat, rayure, ronron, siamois, sorcière, tache, tigre.

Mot mystère : __ __ __ __ __ __

Imbroglio chez le vétérinaire

La secrétaire du vétérinaire ne retrouve plus les dossiers des chiens et des chats en convalescence. Grâce aux indices, aide-la à identifier tous les pensionnaires.

Indices

1. Lulu, qui n'est pas un chien, est à côté de Prout.
2. Prout est entre un chien et un chat.
3. Froufrou est entre Museau et le chien Zaza.
4. Robert-Paul est à un des bouts.
5. Gros-Guy est entre Robert-Paul et Zaza.
6. Museau est entre Froufrou et Prout.
7. Zaza est entre Gros-Guy et Froufrou.

a. _____

b. _____

c. _____

d. _____

e. _____

f. _____

g. _____

ⓣⓜ Syllabes à associer

Essaie d'associer toutes ces syllabes par paires pour obtenir sept noms d'animaux.
Attention : une des syllabes est de trop !

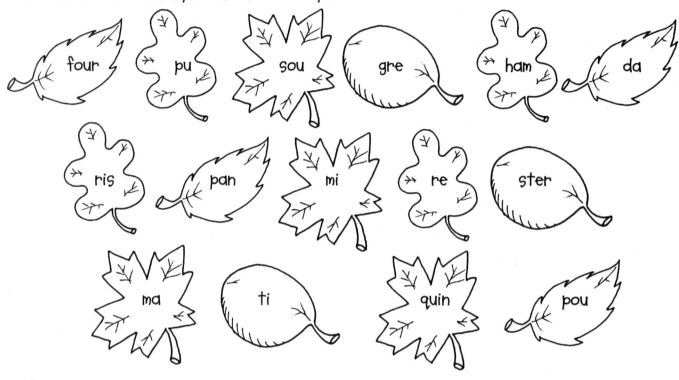

four   pu   sou   gre   ham   da

ris   pan   mi   re   ster

ma   ti   quin   pou

👁 Seul et unique !

Tous ces papillons vont par paires, sauf un. Le vois-tu ?

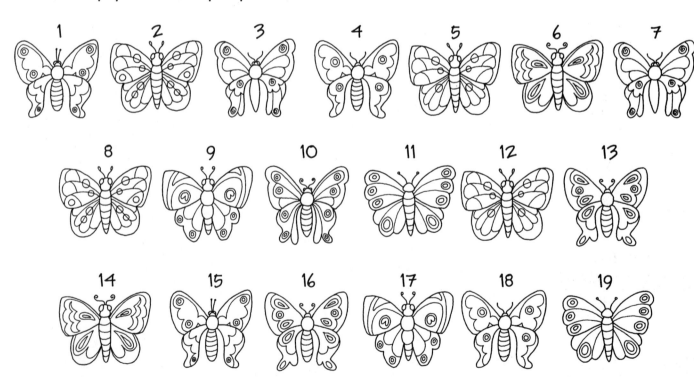

1   2   3   4   5   6   7

8   9   10   11   12   13

14   15   16   17   18   19

◉ Souris à surveiller

Cet éléphant a peur des souris. Aide-le à repérer les 12 bestioles qui se cachent ici afin qu'il puisse les éviter.

Un fouillis à fouiller

Dans cette maison vivent plusieurs animaux. De quelles espèces sont-ils ? Peux-tu dire leurs noms ?

Quels animaux se cachent ici ?

1.

2.

3.

4.

5.

Cherche parmi ces images celle qui n'est pas à sa place.

Expressions en images

Chaque image correspond à une expression que tu connais sûrement. Penses-tu pouvoir les trouver toutes ?

 # Labyrinthe de chiffres

Traverse le labyrinthe en ne noircissant que les cases contenant un nombre pair.

3	15	17	7	9	11	13	21	29	27	13	10	2	11	9	7	13	21	31
21	3	21	17	15	29	21	5	3	8	10	2	3	8	7	29	13	31	16
23	19	11	3	3	21	29	21	2	5	15	31	17	3	10	31	27	29	27
2	27	7	19	3	17	15	4	19	21	3	17	5	31	17	12	7	23	18
29	4	19	21	5	5	6	21	19	3	13	31	17	5	7	11	14	13	15
1	1	8	3	15	8	15	21	7	15	5	17	15	23	1	13	15	16	13
15	1	19	12	32	15	17	5	21	25	7	17	7	1	9	13	1	1	26
25	3	5	12	10	19	9	21	3	23	23	1	5	9	17	11	1	12	11
7	5	8	5	8	21	9	9	15	9	21	15	23	1	7	9	10	21	19
15	10	25	7	9	4	2	16	2	8	15	5	7	19	9	18	19	9	1
12	13	6	7	25	5	21	25	1	2	12	17	22	20	16	7	17	1	1
21	7	15	9	19	7	21	11	5	10	16	26	23	21	5	21	23	13	23
1	29	21	61	7	17	21	15	1	19	17	21	3	17	9	11	15	5	7

Simples silhouettes

Combien de pieuvres vois-tu dans cette salade de silhouettes ?

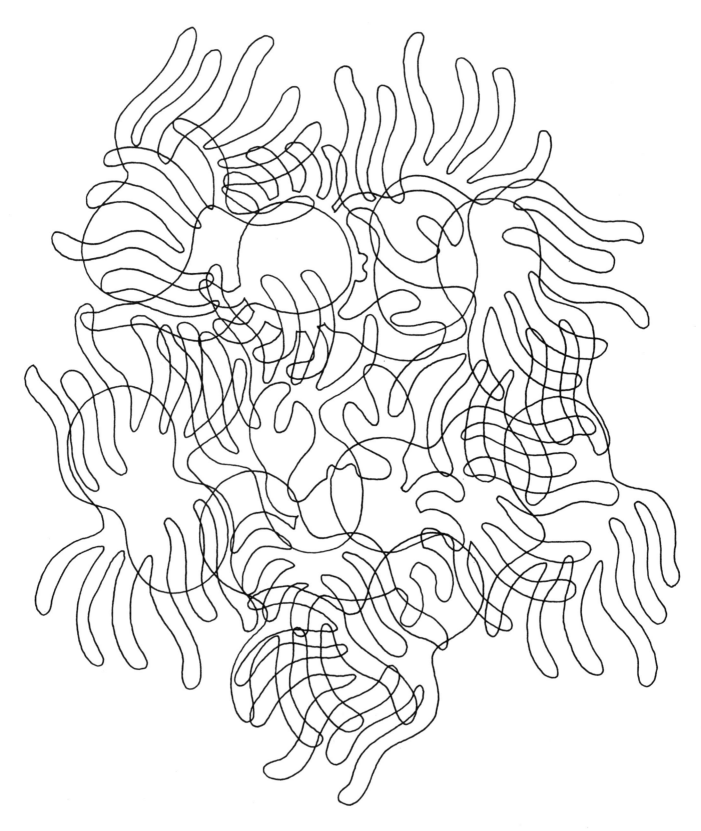

Coco le chimpanzé a été chargé de faire le ménage dans la remise des gardiens du zoo. Observe attentivement l'image pendant une minute, sans prendre de notes, puis tourne la page et essaie de répondre aux questions. As-tu bonne mémoire ?

◉ Jeu de mémoire (suite)

Dans la remise, y a t-il :

un filet ? .... ☐
une planche à roulettes ? .... ☐
un seau ? .... ☐
un balai ? .... ☐
deux tournevis ? .... ☐
une affiche «ZOO», cassée ? .... ☐
deux casquettes de gardien ? .... ☐
un tablier de jardinier ? .... ☐
une gamelle ? .... ☐
un fouet ? .... ☐
une muselière ? .... ☐
une brouette ? .... ☐
un trousseau de clés ? .... ☐
un baladeur ? .... ☐

™ Les voyelles envolées

Derrière cette phrase illisible se cache un proverbe. Pour le connaître, ajoute les voyelles qui manquent.

Q __ __   V __ L __   __ N   __ __ __ F

V __ L __   __ N   B __ __ __ F !

La grille des bébés animaux

Remplis la grille avec les noms des bébés des animaux dessinés devant les rangées et au-dessus des colonnes. Tous les mots doivent être écrits de gauche à droite ou de haut en bas.

© Les éditions Héritage inc. 2000

✍M Des O et des U !

Ajoute deux O et un U à chacun des groupes de consonnes de façon à obtenir les noms de quatre animaux.

MTN

PSSM

GLTN

MFLN

√x̄ Jeu de poches

Bébé kangourou doit obtenir un total de 42 en trois coups. Dans quelles cases doit-il lancer ses trois poches ?

La boîte dépliée

Trois de ces six boîtes correspondent au modèle déplié. Lesquelles ?

1

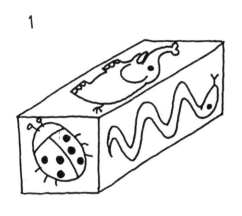

2

3

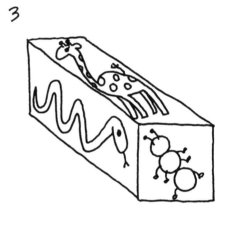

4

5

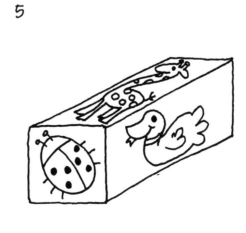

6

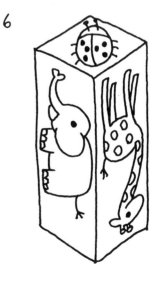

À la pêche aux moules, moules, moules...

Essaie de trouver les 15 moules dissimulées dans la vase.

? Le biodôme

Le gardien de ce biodôme doit planter 12 pancartes, mais il ne connaît rien à rien.
Aide-le un peu en plaçant trois animaux dans chaque environnement.

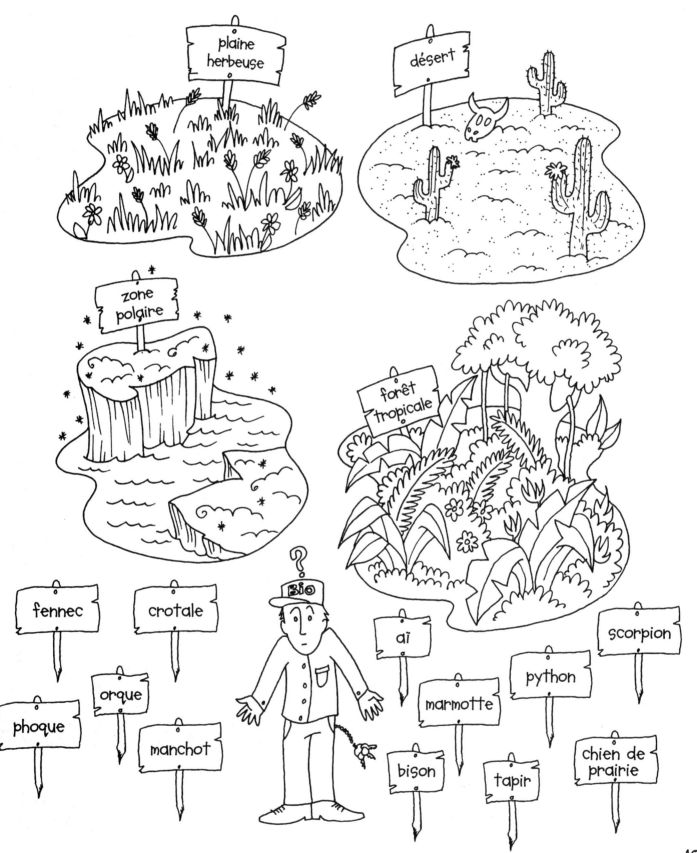

© Les éditions Héritage inc. 2000

Zoé chez la vétérinaire

Sachant que a = n et que b = o, essaie de découvrir le code secret pour déchiffrer ce que se disent la vétérinaire et Zoé.

La vétérinaire : _____

_____ ?

Zoé : _____

_____ !

Des I! et des O!

Ajoute un I et un O à chacun des groupes de consonnes ci-dessous et tu obtiendras les noms de cinq animaux.

VSN

BSN

DNDN

DNG

LN

Symboles secrets

Chaque animal correspond à un chiffre compris entre 1 et 5. Les chiffres au bout de chaque rangée et sous chaque colonne correspondent à la somme des symboles dans cette rangée ou cette colonne.

crabe	baleine	crabe	baleine	6
mouton	crabe	baleine	cochon	10
cochon	mouton	tortue	tortue	17
mouton	cochon	mouton	tortue	15
12	10	11	15	

= 1   = 4

= 2   = 5

= 3

© Les éditions Héritage inc. 2000

◉ Dessin à découvrir

Noircis seulement les cases contenant un ovale et tu sauras ce qui se cache dans cette grille.

ⓧ Les chatons de Chachatte

Chachatte vient d'avoir des chatons! Seuls quatre d'entre eux ont une tache autour de l'œil, et seuls cinq ont une tache sur la patte. Trois ont à la fois une tache autour de l'œil et une sur la patte. Deux n'ont aucune tache. Combien Chachatte a-t-elle de chatons?

◉ Jeu de rectangles

Combien vois-tu de rectangles dans cette figure?

Mot mystère : glouglou !

Trouve dans cette grille tous les noms de poissons de la liste. Ils peuvent être écrits à l'horizontale, à la verticale ou en diagonale. Surtout, garde les mots les plus courts pour la fin ! Avec les lettres qui restent, tu pourras former le mot mystère.

C	R	E	Q	U	I	N	L	A	B	R	E
O	P	P	N	O	M	U	A	S	E	P	A
M	A	E	I	A	R	M	D	R	M	G	I
B	H	R	C	H	O	T	U	A	T	O	G
A	N	C	E	R	E	T	C	S	I	B	U
T	A	H	U	L	E	O	A	C	L	I	I
T	R	E	U	H	P	E	R	A	A	E	L
A	I	M	C	P	T	E	R	S	P	I	L
N	P	O	I	T	L	U	A	S	I	L	A
T	R	H	O	O	R	A	B	E	A	P	T
B	R	L	S	E	I	O	R	P	M	A	L

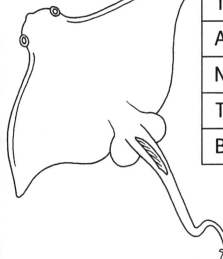

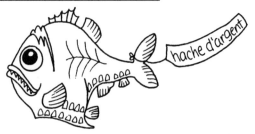

Mots à trouver : aiguillat, bar, barracuda, brochet, combattant, gobie, hippocampe, labre, lamproie, lotte, morue, mulet, perche, piranha, plie, raie, rascasse, requin, saumon, sole, tilapia.

Mot mystère : ___ ___ ___ ___ ___ ___ ___ ___

108

√x̄ La croix des coccinelles

Trace une croix en reliant 12 coccinelles de façon qu'il y en ait cinq à l'intérieur de la croix et huit à l'extérieur.

√x̄ De la grenouille au poulet

Si une grenouille et demie vaut un crapaud, que deux crapauds valent une tortue et que trois tortues et un crapaud valent un poulet, combien de grenouilles vaut un poulet ?

T... comme termites!

Attention! Les termites ont rongé la charpente de la maison et celle-ci va s'écrouler! Mais avant, trouve 18 éléments dont le nom commence par T...

√x̄ Limaces malicieuses

Cette étoile comporte 8 triangles de tailles différentes. En ne déplaçant que 2 limaces tu obtiendras 6 triangles en tout ! Essaie pour voir !

🅼 Pareil, pas pareil !

Dans chaque série de mots, trouve les deux dont le sens est très proche.

1. caribou   renard   carcajou   coulicou   renne
2. cil   duvet   crinière   queue   plume
3. museau   truffe   encolure   garrot   narine
4. écuelle   marmite   coupe   soupière   gamelle
5. nid   brindille   aire   plume   œuf
6. rayure   zébrure   guipure   coupure   doublure
7. jaune   azur   violet   vermillon   bleu
8. cirque   ménagerie   zoo   jardin   aquarium
9. meuglement   couinement   feulement
   beuglement   dépouillement
10. carnivore   vautour   nocturne   rapace   radin

© Les éditions Héritage inc. 2000

◉ La ferme à Fernande

Il y a beaucoup d'animaux dans cette ferme. Trouves-y : un mouton, une marmotte, un lapin, une fourmi, un chat, une souris, deux moineaux, un canard et un ours.

✓x Le champ

Dans un champ, il y a 12 animaux (des vaches, des chevaux et des oies) qui ont en tout 40 pattes. Il y a deux fois plus de quadrupèdes que de bipèdes. Chez les quadrupèdes, il y a trois fois plus de bêtes sans cornes que de bêtes à cornes. Combien y a –t–il de vaches ?

👁 Départ en flèche

Aide le cochon à traverser le labyrinthe en suivant les flèches. Parfois, il peut choisir entre deux directions...

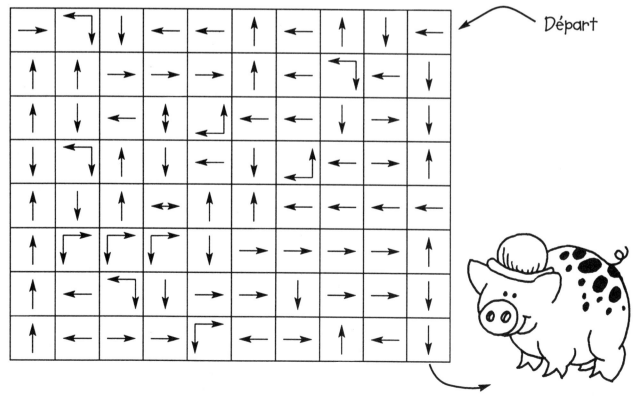

Départ

◉ Détails

Voici six éléments dessinés par Isabelle quelque part dans ce livre. Pourras-tu les retrouver tous ? Chronomètre-toi !

A.

B.

C.

D

E.

F.

A. page _____   B. page _____

C. page _____   D. page _____

E. page _____   F. page _____

Solutions

Page 9
L'ANIMALERIE EN IMAGES

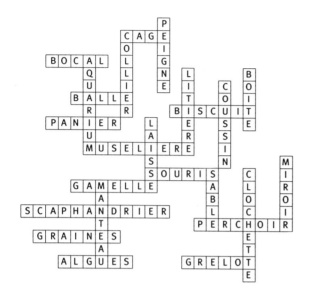

Page 10
UNE LETTRE CHANGE LA BÊTE !

1. langouste, 2. vison, 3. poule, 4. pie, 5. cigogne, 6. canard, 7. raie, 8. oie ou pic, 9. taupe, 10. tique

LES INTRUS

1. bec (il ne couvre pas le corps d'un animal)

2. tendon (ce n'est pas un os)

3. rainette (ce n'est pas un reptile)

4. python (ce n'est pas un oiseau)

5. kangourou (ce n'est pas un animal de la savane africaine)

Pages 11-12
JEU DE MÉMOIRE

Dans le poulailler, il y a : deux renards, pas de canard, trois oeufs blancs, une fourche, pas de pelle, une souris, deux perchoirs, un oeuf de Pâques, un pigeon, une sauterelle, un sac de graines, pas de chapeau de paille, pas de seau, un pneu et pas de poêle.

Page 12
DEVINETTES EN VRAC

1. l'Australie (l'os −tralie)

2. les oiseaux migrateurs (mi−gratteurs)

3. le poisson−chat

4. le requin marteau et le poisson scie

5. 4 tonnes

6. chien et niche

7. les coqs ne pondent pas !

8. le cerf−volant ou le cerfeuil

9. Il s'assoit sur une feuille et il attend l'automne.

Page 13
LES OISEAUX CACHÉS

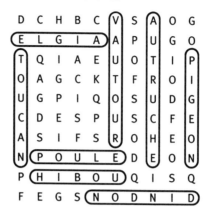

Les 8 oiseaux sont : aigle, autruche, dindon, hibou, pigeon, poule, toucan et vautour.

Page 14
LE MÉLI-MÉLO DES GÉNÉREUX ANIMAUX

1. lait, 2. viande, 3. yaourt, 4. laine, 5. cuir, 6. oeuf
Solution : La chasse à l'IVOIRE menace les éléphants.

OUAH ! OUAH !

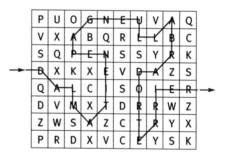

Les races de chiens sont : dalmatien, épagneul, labrador, terrier.

Page 15
QU'EST-CE QUI CLOCHE... AU ZOO ?

Page 16
LA SUPERGRILLE DES BÊTES À CORNES

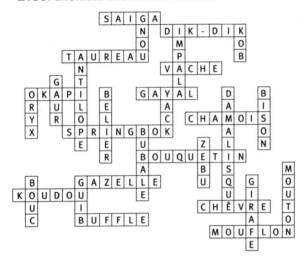

Page 17
A... COMME AU SECOURS !

Mots en A : abeille, aigle, aiguillon, aile, alligator, ampoule, ananas, antenne, appareil photo, araignée, arbre, arc, arête, arme, assiette, avion... En as-tu trouvé d'autres ?

Page 18
LABYRINTERMITIÈRE

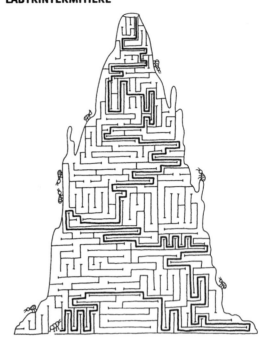

Page 19
CACHE-CACHE

1. dindon, 2. loup, 3. canard, 4. sanglier, 5. lièvre, 6. pigeon, 7. souris, 8. renard, 9. canari, 10. jaguar

Page 20
PETITES BÊTES AU FOND DE L'EAU
Requin, raie et hippocampe.

+, — ET X !

20	+	4	−	5	= 19
−		+		−	
8	−	(3	x	2)	= 2
+		+		+	
9	+	6	−	7	= 8
= 21		= 13		= 10	

Page 21
UN MESSAGE EN MORCEAUX
Ne pas ouvrir ! Puces savantes !

Page 22
ZOOLOGISTES EN HERBE
1. crache dessus, 2. en s'appuyant sur leurs jointures, 3. le papillon monarque, 4. la mouffette, 5. eau et organes vitaux, 6. de corne, 7. l'hippocampe, 8. la salamandre, 9. le koala, 10. d'un goéland

Page 23
QUI SE CACHE ICI ?
Un reptile

COQUILLES À LA COURSE

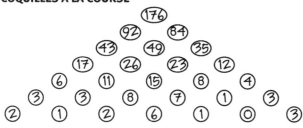

176
92   84
43   49   35
17   26   23   12
6   11   15   8   4
3   3   8   7   1   3
2   1   2   6   1   0   3

Page 24
OUAH ! MIAOU ! HOU ! CROÂ !... COÂ ?
Le chien jappe, le cerf brame, la grenouille coasse, le hibou hulule, le corbeau croasse, le loup hurle, le chat miaule, le cheval hennit, la vache meugle, le chameau blatère, le coq coquerique.

Page 25
LA SUPERGRILLE DES PETITES BÊTES À SIX PATTES

					M	B	L	A	T	T	E		C	
	G	R	I	L	L	O	N			I				R	
	G					U		F	O	U	R	M	I		
M	O	U	C	H	E		S		E		L			Q		P
O	E				P		T		I		P	U	C	E	R	O	N
U	P		C	O	C	C	I	N	E	L	L	E			U		A
C					Q		U		R		E			T		I
H		S	A	U	T	E	R	E	L	L	E					S
E		C						.		P			A		E
S	C		R	O		B			O	M	A	N	T	E	
H	A	N	N	E	T	O	N		E	P	H	E	M	E	R	E
R		A		U			U		E		P		I	
A		D	O	R	Y	P	H	O	R	E		C	I	G	A	L	E
B		E		D	U			P		L		L	O	
E		E		O	N		C	H	R	Y	S	O	M	E	L	E
E				N	E		U		E	U		N	

GRILLON, BLATTE, FOURMI, MOUCHE, COCCINELLE, PUCERON, SAUTERELLE, HANNETON, EPHEMERE, MANTE, DORYPHORE, CIGALE, CHRYSOMELE, LUCIOLE

Page 26
DÉTAILS À TROUVER
Le détail 4 n'appartient pas à la toile.

Page 27
MINIRÉBUS
Mouche à feu, poisson-clown, manchot empereur, oiseau-lyre, requin marteau, poisson-scie, singe-araignée.

Page 28
CHATS, CHATS, CHATS

Page 29
LE MOT MYSTÈRE D'AZOR LE BASSET

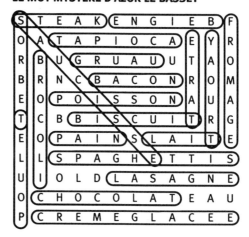

Ce qu'il faut à Azor : un bol d'eau

Page 30
UNE HISTOIRE SENS DESSUS DESSOUS
Les images devraient se présenter dans cet ordre : c-1, b-2, e-3, d-4, f-5, a-6

JEU DE MOTS RAPIDO !
1. escargot, 2. faucon, 3. rhinocéros, 4. guêpe, 5. aigle, 6. tortue, 7. espadon
L'animal très rapide est le guépard.

Page 31
LE DÉFI DE TOTO
La ficelle c est la bonne ; la ficelle a est en fait la queue du serpent.

Page 32
F... COMME FOURMIS LÉGIONNAIRES !
Mots en F : feuille, filet, flaque, flèche, fleur, fouet, fougère, fourmi, fourmilière, fraises, fraisier... En as-tu trouvé d'autres ?

Page 33
QU'EST-CE QUI CLOCHE... CHEZ LE VÉTÉRINAIRE ?

Page 34
LES COPAINS D'ABORD

Le rémora débarrasse le requin de ses parasites, le poisson-clown se tient entre les tentacules de l'anémone de mer, la fourmi « trait » le puceron, le pique-bœuf nettoie la peau du rhinocéros, le pluvian nettoie les dents du crocodile. Le homard et la tortue ne vivent pas en association.

Page 35
L'OMBRE AUX DENTS D'ACIER

L'ombre est celle du requin 4.

Page 36
LA SUPERGRILLE DES ANIMAUX LONGS, LONGS, LONGS

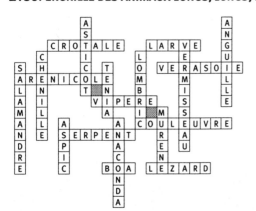

Page 37
ANIMALERIE EN FOLIE

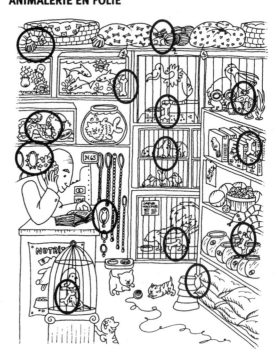

Page 38
LE CORBEAU ET LE RENARD

Le corbeau : Ah ! ah ! Inutile d'essayer, tu n'arriveras jamais à me prendre ce camembert !

Le renard : Bof ! De toute façon, je n'aime pas le fromage !

Page 39
VRAI OU FAUX ?

1. faux, c'est un mammifère marin, pas un poisson.
2. vrai
3. vrai
4. vrai
5. vrai, les coucous ne font pas de nid.
6. vrai
7. vrai
8. faux, la mygale ne tisse pas de toile.
9. vrai, on peut l'entendre jusqu'à 500 m !
10. faux, certains crocodiles pourraient vivre jusqu'à 2 ans sans manger !

L'animal que tu dois avoir obtenu est le coléoptère.

Page 40
LA PETITE LETTRE QUI CHANGE TOUT

1. gamelle, 2. haleine, 3. mélange, 4. retard, 5. poutre, 6. char, 7. perle, 8. aiguille, 9. tache, cache, mâche ou bâche, 10. tapis

LES INTRUS

1. chacal (il n'est pas herbivore)
2. scorpion (ce n'est pas un insecte)
3. bison (il n'est pas blanc)
4. lion (il n'a pas de taches)
5. bernache (la seule qui peut voler)
6. grizzli (il n'est pas rayé)
7. mouflon (il porte des cornes, pas des bois)
8. ara (les autres sont tous noir et blanc)
9. paresseux (il ne vit pas dans le désert)
10. tarentule (la seule qui ne soit pas un oiseau)

COUCOU! GRRRRRRR! RROU-RROU!

Le sanglier grommelle, le cochon grogne, la poule glousse, le cygne trompette, le coucou coucoule, le tigre feule, le pigeon roucoule, l'âne brait, la sauterelle stridule, le renard glapit et la marmotte siffle !

LA SUPERGRILLE DES ANIMAUX EN C

LE DÉ DES D

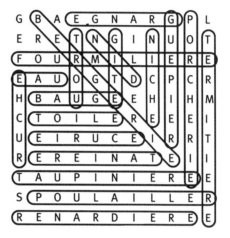

LE POISSON PERDU

Le poisson 4, car aucun poisson de la série n'est décoré de lignes courbes.

LA CARAPACE TRIANGULAIRE

Réponse : 18

TONTE ET TONTAINE

MOT MYSTÈRE : LES MAISONS D'ANIMAUX

Mot mystère : galeries

QUEL CIRQUE !

Les poissons 7 et 4 sont identiques.

B... COMME BALEINE

Mots en B : baignoire, balançoire, ballon, banc, baril, barque, bateau, bicyclette, bidon, bilboquet, boîte, bougie, bouteille, brique, brosse, brouette, bûche... En as-tu trouvé d'autres ?

LENT, LENT, L'ESCARGOT

4 lettres : cage, case, côte, gare, gars, gras, grès, gros, race, rage, rate, rose, sort, tare, toge
5 lettres : aorte, cargo, carte, corse, écart, ergot, goret, grâce, otage, ragot, sacre, sorte, torse, trace
6 lettres : corset...
En as-tu trouvé d'autres ?

Page 49 (suite)
ANIMOTS CAMOUFLÉS

1. Il <u>va chez</u> Octa<u>ve au</u> petit matin. (vache et veau)
2. Après s'être s<u>ali, on</u> se lave. (lion)
3. Si la mouffette vous arro<u>se, rin</u>cez-vous au jus de tomate. (serin)
4. Voyant Jean lan<u>cer, Fran</u>çoise se pousse sur le côté. (cerf)
5. Pierrot a fait ce qu'il a <u>pu, mais</u> il <u>a rat</u>é le but. (puma et ara)
6. Jean <u>cacha l'otarie</u> de peluche dans son placard. (cachalot)
7. La bê<u>che val</u>ait au moins 10 $. (cheval)
8. Ce n'est pas en poussant un <u>cri que tu</u> attireras mon attention! (criquet)
9. Il poussa le sam<u>pan dans</u> l'eau. (panda)
10. Voici un pè<u>re qui ne</u> sait pas lire. (requin)

Page 50
SINGERIES

Des bananes, toujours des bananes! J'aurais envie d'un bon pâté chinois, moi!

Page 51
LES CRUSTACÉS CACHÉS

M	O	U	C	H	E	E	S	G
A	R	A	R	A	T	C	C	O
B	E	P	A	E	E	R	R	R
E	H	I	B	M	T	E	E	I
I	O	E	E	E	V	V	V	L
L	M	L	O	U	P	I	E	L
L	A	N	G	O	U	S	T	E
E	R	C	H	A	T	S	T	P
S	D	G	U	E	P	E	E	I

Les crustacés cachés: crabe, crevette, écrevisse, homard et langouste.

Page 52
FACE À FACE
Tracé de la grenouille

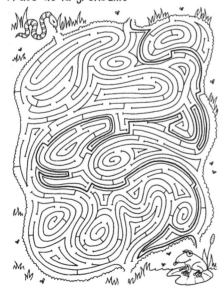

Page 52 (suite)
FACE À FACE
Tracé du serpent

Page 53
LETTRES AU CARRÉ

4 lettres : drap, loup, poil, pôle, poli, râpe, rôle
5 lettres : drapé, drôle, loupe
6 lettres : parole
7 lettres : léopard
Tu en as peut-être trouvé d'autres?

Page 54
SOUSTRACTION DE REPTILES

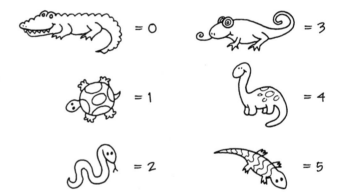

LE MÉLI-MÉLO DES MERVEILLEUSES BESTIOLES
1. araignées, 2. puces, 3. blattes, 4. fourmis, 5. mites, 6. termites, 7. papillons, 8. perce-oreilles
Solution : acariens

Page 55
UN MESSAGE EN MORCEAUX
Baignade interdite : requin-marteau à l'oeuvre!

Page 56
LA GRILLE DES CÉLÉBRITÉS

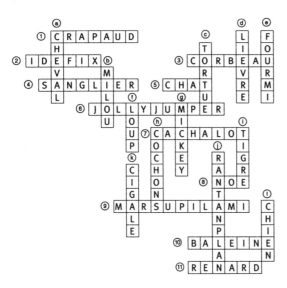

Page 57
MOT MYSTÈRE : LES JOYEUX VOLATILES

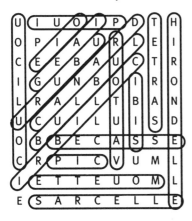

Mot mystère : plume

Page 58
BIEN DANS SA PEAU

Le zèbre est déguisé en serpent, le serpent en girafe, la girafe en paon, le paon en guépard, le guépard en zèbre, le tigre en tortue et la tortue en tigre.

Page 59
VRAI... OU FAUX ?

Le mammifère que tu devrais avoir obtenu est l'hyène.

PETITES BÊTES CACHÉES

1. En voyant l'es**croc, Odile** courut vite appeler la police. (crocodile)
2. En passant par **Lima, cette** pauvre fille croyait découvrir le Pérou ! (limace)
3. Quand on **pige, on** doit faire confiance au hasard. (pigeon)
4. Lucien, pour l'écou**ter, mit** environ une minute. (termite)
5. Pour Noël, Étienne a acheté un sa**pin, son** arbre préféré. (pinson)

Page 60
QU'EST-CE QUI CLOCHE... À LA PÊCHE ?

Page 61
CACHE-CACHE

1. fourmi, 2. cigale, 3. taon, 4. maringouin, 5. blatte, 6. mouche, 7. puce

Page 62
ABRACADABRA ! VIEUX FOIE DE RAT !

Page 63
PETITES BÊTES AU JARDIN

Fourmi, mouche, guêpe et coccinelle.

SUITE LOGIQUE

La toile 3. Chacun des insectes sur la toile se déplace selon un tracé régulier.

Page 64
LA CIGALE ET LA FOURMI

La cigale : Vous n'auriez pas sur vous un p'tit bout d'vermisseau à mettre dans mon chapeau ?
La fourmi : Hélas, petite malheureuse, la fourmi n'est pas prêteuse !

Page 65
ARACHNOPHOBIE

Page 66
À LA QUEUE LEU LEU

C'est la girafe 6, car elle est la seule à être différente. La suite est en effet composée de girafes toutes différentes les unes des autres.

Page 67
MEUH, GROIIIIIN, ET COCORICO!

Réponse : cheval, chèvre, chien, coq, mouton et vache

Page 68
ADDITION D'INSECTES

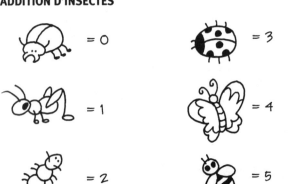

Page 68 (suite)
LE GRAND QUIZ DES MOTS EN PAN

1. pantin, 2. panse, 3. panda, 4. pantalon, 5. panache, 6. panne, 7. panier, 8. panique
Solution : panthère

Page 69
«DALMACHIENS»

Les dalmatiens 2 et 10 sont identiques.

Page 70
M... COMME MEUH!

Mots en M : main, maïs, maison, manche, marguerite, marmotte, marque, montagne, montgolfière, montre, motocyclette, mouche, mouffette, moustache, mouton, museau... En as-tu trouvé d'autres ?

Page 71
LA SUPERGRILLE DES GRANDES DENTS

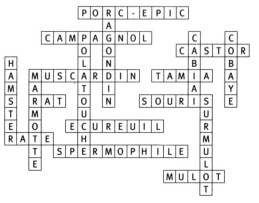

Page 72
QU'EST-CE QUI CLOCHE... AU CIRQUE ?

Page 73
QUI EST QUI ?

1. Pietro, 2. John, 3. Abdul, 4. Lucie, 5. Bruno, 6. Simone, 7. Ingrid, 8. Thaï, 9. Piotr

Page 74
DESSINS MYSTÈRE
1. deux girafes qui passent devant une fenêtre,
2. quatre éléphants qui jouent au ballon.

ÇA BALANCE !
Cinq bassets.

Page 75
CH... COMME CHUT !
Mots en CH : chaise, chaloupe, champignon, chanteur, chapeau, char d'assaut, chat, château, chaussette, chaussure, chauve-souris, chemise, cheval, chevalet, cheveux, chien, chiffon, chiffre, chiot, chouette... En as-tu vu d'autres ?

Page 76
DESSIN EN MORCEAUX

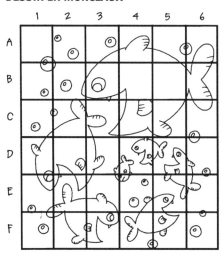

Page 77
À LA CHASSE AUX PAPILLONS

Page 78
TOUS POUR UN, UN POUR TOUS !
C'est l'insecte 6. Il a les pattes du 1, les mandibules du 2, la queue du 3, les ailes du 4, les yeux du 5, les antennes du 7 et l'abdomen du 8.

NOEUDS DE VERS
Les vers b et d.

Page 79
DÉTAILS

Le détail 3 n'appartient pas à l'image.

Page 80
À LA RESCOUSSE !

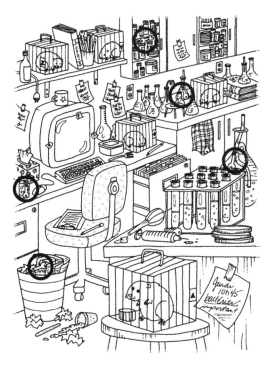

Page 81
LA SUPERGRILLE DES ANIMAUX QUI FONT PEUR

Page 82
SÉRIES DE SOURIS

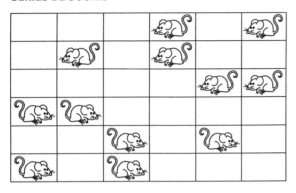

As-tu trouvé une autre façon?

LES JUMEAUX
Les scarabées 2 et 8 sont identiques.

Page 83
LE REFLET

Page 84
OS À DÉTERRER

Page 85
D'UN TRONC À L'AUTRE

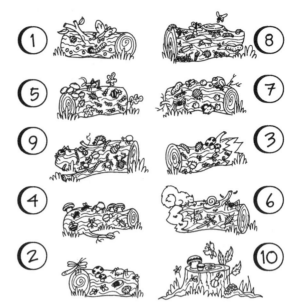

Page 86
MINES DE RIEN
1-a, 2-d, 3-e, 4-c, 5-g, 6-h, 7-f, 8-b

Page 87
LIGNES À LOGER

VRAI OU FAUX?
1. vrai, 2. faux, 3. vrai, 4. vrai, 5. vrai, 6. vrai, 7. vrai, 8. vrai (le phasme géant mesure 33 cm)

Page 88
LE MOT MYSTÈRE DE MINET

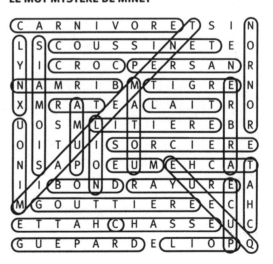

Mot mystère : sieste

Page 89

IMBROGLIO CHEZ LE VÉTÉRINAIRE

a. Lulu, b. Prout, c. Museau, d. Froufrou, e. Zaza, f. Gros-Guy, g. Robert-Paul

Page 90

SYLLABES À ASSOCIER

puma, panda, tigre, fourmi, souris, hamster, requin. La syllabe pou est de trop.

SEUL ET UNIQUE!

Le papillon 10 est unique !

Page 91

SOURIS À SURVEILLER

Page 92

UN FOUILLIS À FOUILLER

Il y a un chien (Fido), un chat (Moustache) et un poisson (Bubulle).

Page 93

RÉBUS

1. éléphant de mer (aile + lait + faon + deux + mère)
2. écrevisse (haie + creux + vis)
3. grenouille (graine + nouille)
4. pintade (pain + tas + deux)
5. souriceau (sou + riz + seau)

L'INTRUSE

Le bison est le seul dont le nom ne commence pas par P.

Page 94

EXPRESSIONS EN IMAGES

1. Dormir comme une marmotte.
2. Avoir un appétit d'oiseau.
3. Avoir un chat dans la gorge.
4. Prendre la part du lion.
5. Quand les poules auront des dents.
6. Quand le chat n'est pas là, les souris dansent.
7. Verser des larmes de crocodile.
8. Avoir des fourmis dans les jambes.
9. Donner sa langue au chat.

Page 95

LABYRINTHE DE CHIFFRES

3	15	17	7	9	11	13	21	29	27	13	19	11	9	7	13	21	31
21	3	21	17	15	29	21	5	3	9	19	2	3	7	29	13	31	16
23	19	11	3	3	21	29	21	5	15	31	17	3	31	27	29	27
9	27	7	19	3	17	9	19	21	3	17	5	31	17	7	23	18
29	7	19	21	5	5	9	19	3	13	31	17	5	7	11	9	13	15
1	1	9	3	15	9	15	7	15	5	17	15	23	1	13	15	6	13
15	1	19	11	2	15	17	5	21	25	7	17	7	1	9	13	1	6
25	3	5	9	9	19	9	21	3	23	23	1	5	9	17	11	1	11
7	5	9	5	9	21	9	15	9	21	15	23	1	7	9	19	21	9
15	9	25	7	9	4	2	9	9	15	5	7	19	9	9	19	9	1
9	13	6	7	25	5	21	25	1	9	9	17	9	9	7	17	1	1
21	7	15	9	19	7	21	11	5	9	5	23	21	5	21	23	13	23
1	29	21	61	7	17	21	1	19	17	21	3	17	9	11	15	5	7

Pages 96-97

JEU DE MÉMOIRE

Dans la remise, il y a : un filet, une planche à roulettes, pas de seau, un balai, deux tournevis, pas d'affiche « ZOO », une seule casquette, un tablier de jardinier, une gamelle, pas de fouet, pas de muselière, pas de brouette, pas de trousseau de clés, pas de baladeur.

Page 97

LES VOYELLES ENVOLÉES

Qui vole un oeuf vole un boeuf !

Page 98

SIMPLES SILHOUETTES

Il y a 12 silhouettes de pieuvres.

Page 99

LA GRILLE DES BÉBÉS ANIMAUX

Page 100

DES O ET DES U !

mouton, opossum, glouton et mouflon

JEU DE POCHES

Il doit atteindre les cases 11, 25 et 6.

Page 101

LA BOÎTE DÉPLIÉE

Les boîtes 2, 4 et 5.

Page 102

À LA PÊCHE AUX MOULES, MOULES, MOULES...

Page 103

LE BIODÔME

forêt tropicale : tapir, python, aï ;
zone polaire : orque, phoque, manchot ;
désert : fennec, scorpion, crotale ;
plaine herbeuse : bison, chien de prairie, marmotte.

Page 104

ZOÉ CHEZ LA VÉTÉRINAIRE

La vétérinaire : Mais comment nourris-tu ton chien ?
Zoé : Oh, il n'est pas difficile : crème glacée, biscuits au chocolat, poudding... il mange de tout !

Page 105

DES I ! ET DES O !

vison, bison, dindon, dingo et lion

Page 105 (suite)

SYMBOLES SECRETS

 = 1

 = 2

= 3

 = 4

= 5

Page 106

DESSIN À DÉCOUVRIR

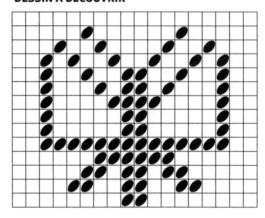

Page 107

LES CHATONS DE CHACHATTE

8 chatons

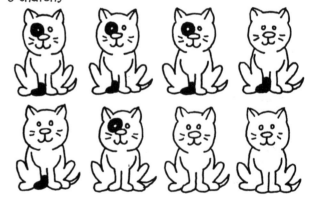

JEU DE RECTANGLES

21